LAGO DI COMO ■ ■ LAKE COMO

UN VIAGGIO NELLE EMOZIONI   *A JOURNEY INTO THE EMOTIONS*

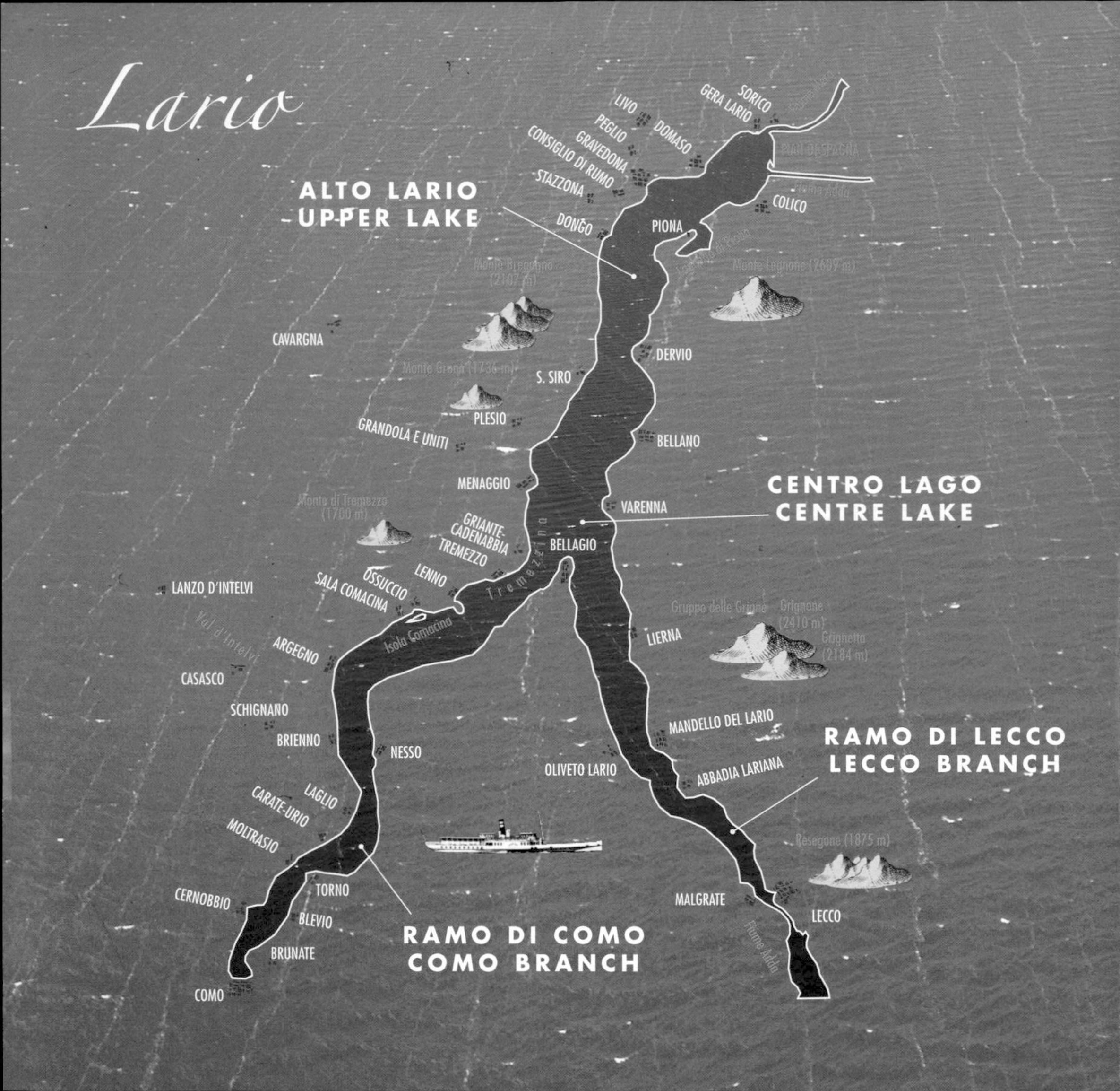

Lario

ALTO LARIO
UPPER LAKE

CENTRO LAGO
CENTRE LAKE

RAMO DI LECCO
LECCO BRANCH

RAMO DI COMO
COMO BRANCH

SORICO

GERA LARIO

LIVO

PEGLIO

DOMASO

GRAVEDONA

CONSIGLIO DI RUMO

PIAN DI SPAGNA

STAZZONA

Trivio di Adda

COLICO

DONGO

PIONA

Monte Legnone (2609 m)

Monte Bregagno
(2107 m)

CAVARGNA

Monte Grona (1736 m)

DERVIO

S. SIRO

GRANDOLA E UNITI

PLESIO

BELLANO

MENAGGIO

Monte di Tremezzo
(1700 m)

VARENNA

GRIANTE
CADENABBIA
TREMEZZO

Tremezzina

BELLAGIO

LANZO D'INTELVI

OSSUCCIO

LENNO

SALA COMACINA

Gruppo delle Grigne Grignone
(2410 m)

Grignetta
(2184 m)

Isola Comacina

LIERNA

Val d'Intelvi

ARGEGNO

CASASCO

MANDELLO DEL LARIO

SCHIGNANO

BRIENNO

NESSO

OLIVETO LARIO

ABBADIA LARIANA

LAGLIO

Resegone (1875 m)

CARATE-URIO

MOLTRASIO

CERNOBBIO

TORNO

MALGRATE

LECCO

BLEVIO

BRUNATE

Fiume Adda

COMO

LAGO DI COMO   LAKE COMO

Un viaggio nelle emozioni

Per conoscere veramente il lago di Como, occorre amarlo, come una persona cara.

Questo lago ci ha emozionato nei momenti di un'alba, di un tramonto, nelle notti di luna piena, ci ha emozionato con la fresca primavera fiorita, con la matura estate luminosa, con le dorate atmosfere autunnali, con le cristalline luci invernali.

Abbiamo percorso le vie di borghi e città del Lario, viaggiato lungo le rive, solcato le acque, lo abbiamo sorvolato, ci siamo inerpicati sui monti che lo cingono. È così nato questo viaggio nelle emozioni del lago; quelle che hanno fatto esclamare, ad un personaggio dello scrittore Henry James: "Qui potrei essere felice e dimenticarmi di tutto. Perché non restare per sempre?" Forse ciò non sarà possibile, ma noi sapremo che sempre ci attende un luogo dove l'uomo e la natura insieme hanno operato per donarci il loro meglio.

A journey into the emotions

To truly know Lake Como is to love it, like a beloved person.

The lake has thrilled us at moments in the dawn, sunset and on nights with a full moon; the fresh flowery spring, luminous days of full summer, the golden autumn atmosphere and crystalline winter lights have exhilarated us.

We have followed the paths of the villages and towns of Lake Lario (as the Romans called it), travelled along its banks, sailed over its waters, flown over it and climbed the mountains that encircle it. So this journey into the emotions of the lake was created; it was what made a celebrity like the author Henry James exclaim, "I could be happy here and forget everything. Why not stay here forever?" Perhaps this would not be possible, but we know that a place always awaits us in which man and nature have worked together to give us their best.

ALESSANDRO PERATHONER

GIORGIO CARRADORI

LAGO DI COMO 3 LAKE COMO

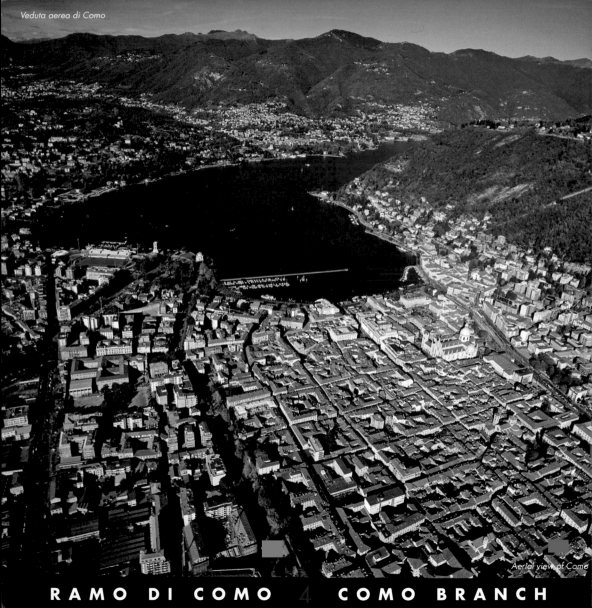

Veduta aerea di Como

Aerial view of Como

RAMO DI COMO 4 COMO BRANCH

La città di Como, di origine romana, è la porta d'ingresso a questo celebrato tratto di lago. Il centro cittadino ha il fascino del borgo antico, dove è piacevole camminare per le vie, fra bei negozi ed accoglienti locali pubblici. Piazze e piazzette si aprono numerose e danno respiro ad edifici importanti per storia ed arte; su tutti domina lo splendido Duomo. Non lontana, la grande ed elegante villa Olmo guarda il lago che s'insinua fra ripidi monti boscosi, in un susseguirsi di località turistiche e di antichi borghi di pescatori. Il paesaggio è impreziosito da numerose ville aristocratiche - da sempre ricercate da artisti e personaggi illustri – cui fanno corona grandi parchi e giardini fioriti. Gli ulivi, le chiese medioevali, le torri, i porticcioli, non aggiungono che fascino a questo dolce paesaggio. La verde Isola Comacina porta con sé la suggestione di antiche vicende d'armi e di assedi, mentre la pietra ricamata del campanile di Ossuccio è l'icona del lago. Note località sono Cernobbio, elegante centro di soggiorno e di congressi; Blevio, con le numerose ville; Torno, con un caratteristico centro medioevale e la solitaria villa Pliniana; Brienno, con le sue belle chiese; Argegno, all'imbocco della val d'Intelvi.

Of Roman origin, the City of Como is the gateway to this famous part of the Lake. The city centre has all the fascination of an ancient town, where it is very pleasant to walk along the streets, between the shops and welcoming bars and restaurants. Numerous piazzas and small squares open off the streets and give life to the historically and artistically important buildings; the splendid Cathedral dominates all. Not far away, the large and elegant Villa Olmo looks over the Lake that wanders between the steep woody mountains in a succession of tourist resorts and old fishing villages. The landscape is enhanced by numerous aristocratic villas—that have always been sought after by artists and famous people —crowned by large parks and flower-filled gardens. The olives, the mediaeval churches, towers and small harbours all add to the fascination of this tender landscape. The green Isola Comacina carries the hint of ancient warfare and sieges, while the stone embroidery of the Ossuccio bell tower is the icon of the lake. Places of note are Cernobbio, an elegant holiday and conference centre; Blevio, with numerous villas; Torno, with a typical mediaeval centre and the isolated Villa Pliniana; Brienno, with its fine churches and Argegno, at the entrance to the Val d'Intelvi.

A summer afternoon

RAMO DI COMO 6 COMO BRANCH

Un idrovolante del prestigioso Aero Club

Le fermate del battello

A seaplane from the famous Aero Club

The ferry embarcation points

La funicolare per Brunate in una vecchia cartolina

Un dettaglio del battello Milano

Un vecchio battello, trasformato in bar

SNACK BAR GELATERIA

The funicular railway to Brunate, in an old postcard

A detail of the steamer Milano

An old boat, now a bar

RAMO DI COMO   COMO BRANCH

I portici del Broletto, l'antico palazzo del Comune (sec. XIII)

The arcades of the Broletto, the ancient Town Hall (XIII Cent.)

Il rosone del Duomo

Riposo in piazza del Duomo

The rose window of the Cathedral

Relaxing in the Cathedral Square

Facciata del Duomo: Plinio il Vecchio
The Cathedral façade: Pliny the Elder

Facciata del Duomo: Plinio il Giovane
The Cathedral façade: Pliny the Younger

La candida facciata del Duomo (sec. XV)

The lily-white façade of the Cathedral (XV Cent.)

« La città di Como si distende dietro di noi, in un
brulicare di luci; i colli e le ombre intorno si fanno
più scuri; il lago è una tremula superficie d'argento »

William Dean Howells, *1867*

« The town of Como lies, a swarm of lights,
behind us; the hills and shadows gloom around;
the lake is a sheet of tremulous silver »

William Dean Howells, *1867*

Nighttime panorama

La basilica di S. Fedele (sec. X-XII)

S. Abbondio: affresco absidale (sec. XIV)

S. Abbondio: particolare

The Basílica of St. Fedele (X-XII Cent.)

St. Abbondio: the fresco in the apse (XIV C.)

St. Abbondio: detail

S. Abbondio: dettaglio

La basilica di S. Abbondio (sec. XI)

St. Abbondio: detail

The Basilica of St. Abbondio (XI Cent.)

RAMO DI COMO   COMO BRANCH

Bancarella di frutta a fianco del Duomo

Pausa nella città vecchia

A market stall selling fruit beside the Cathedral

An interlude in the old city

Piazza S. Fedele: abitazione del XV-XVI secolo

Relax in piazza S. Fedele

Piazza St. Fedele: residential building of the XV-XVI century

Relaxing in Piazza St. Fedele

Giostra in piazza Volta

A roundabout in Piazza Volta

Como: il Tempio Voltiano (sec. XX)

Brunate: il faro voltiano (sec. XX)

Brunate: Volta's lighthouse (XX Cent.)

Como: lo scienziato Alessandro Volta

Como: the Memorial to Volta (XX Cent.)

Como: the scientist Alessandro Volta

La torre del Comune (sec. XIII)

Porta Torre (sec. XII)

Porta Torre (XII Cent.)

La torre del castello del Baradello (sec. XII)

The tower of the Broletto (XIII Cent.)

The tower of Baradello Castle (XII Cent.)

Tramonto in piazza Cavour

COMO

" *Ora che il sole volgeva al tramonto ed una fastosa serata sorgeva dal lago, stendendo una polvere viola sulle rive lontane, mi sentivo bene ed ero felice di respirare ancora l'estate italiana* "

Hermann Hesse, *1911*

" *Now with the sun sinking into the dusk and a magnificent evening could be seen over the lake, spreading a mauve dust onto the distant shores, I felt well and I was happy to breath the Italian summer again* "

Hermann Hesse, *1911*

RAMO DI COMO 16 COMO BRANCH

Sunset in Piazza Cavour

The fountain near Villa Geno

Villa Olmo (sec. XVIII) ed il suo elegante giardino all'italiana

Villa Olmo (XVIII Cent.) and its elegant Italian garden

Inverno a villa Olmo: sole e ghiaccio sulla fontana

Winter at Villa Olmo: sun and ice on the fountain

L'armoniosa facciata di villa Olmo

The harmonious façade of Villa Olmo

Villa Olmo: notturno

Villa Olmo: night scene

RAMO DI COMO 19 COMO BRANCH

Veduta aerea di Cernobbio, con villa Erba in primo piano

Aerial view of Cernobbio. Foreground, Villa Erba

Villa d'Este: il giardino all'italiana

Villa d'Este: the Italian garden

Il battello sfreccia davanti al Grand Hotel Villa d'Este

A boat streaks in front of the Grand Hotel Villa d'Este

RAMO DI COMO   21   COMO BRANCH

CERNOBBIO

Il Faro Voltiano domina il ramo di Como

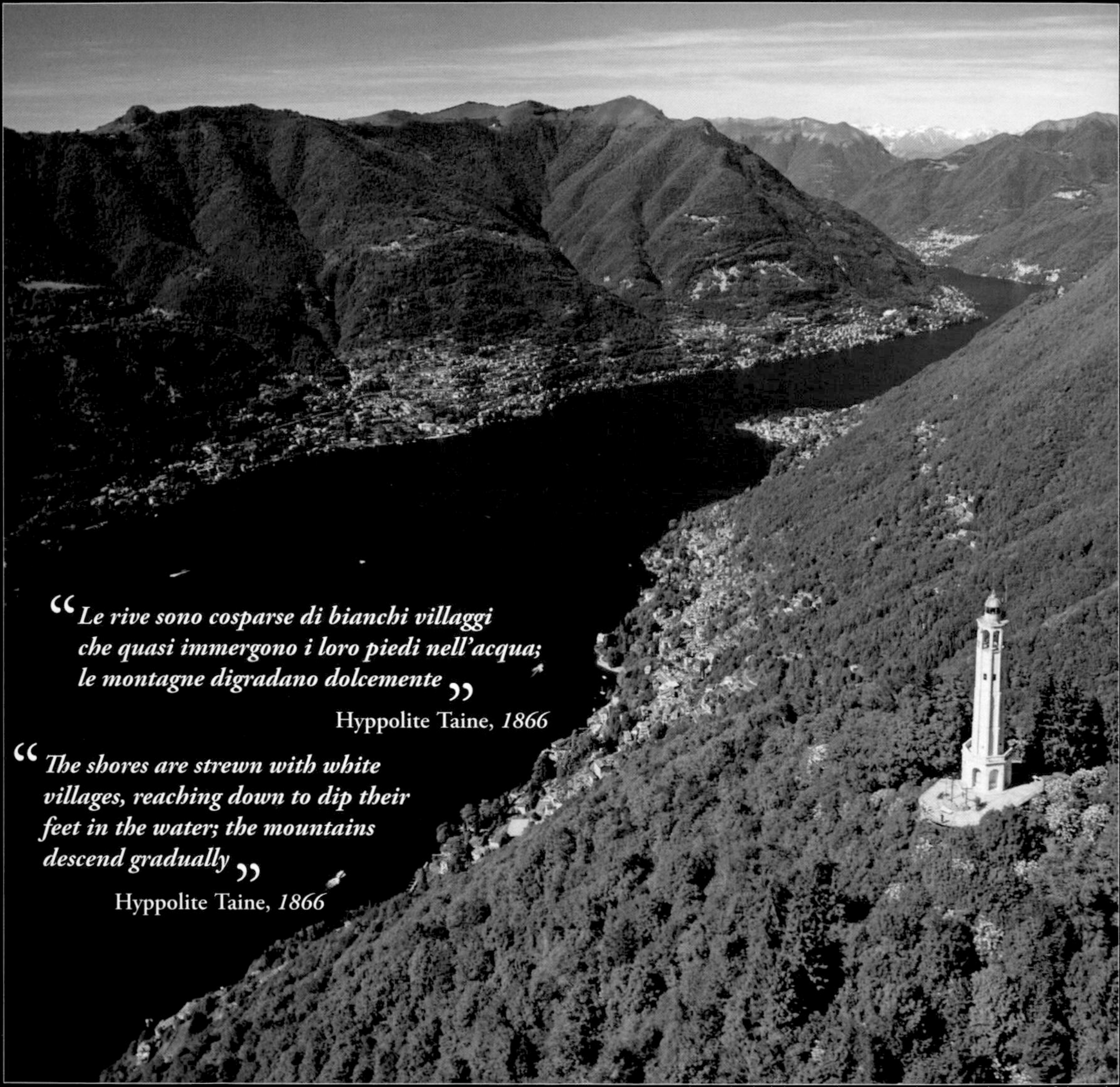

“Le rive sono cosparse di bianchi villaggi che quasi immergono i loro piedi nell’acqua; le montagne digradano dolcemente”

Hyppolite Taine, *1866*

“The shores are strewn with white villages, reaching down to dip their feet in the water; the mountains descend gradually”

Hyppolite Taine, *1866*

The Volta lighthouse dominates the Como branch of the Lake

Il piroscafo Concordia (1926)

The Concordia paddle steamer (1926)

Atterraggio sull'acqua

L' ormeggio del battello

Landing on the water

Mooring the boat

Carate Urio: villa Castello

Carate Urio: Villa Castello

Veduta di Moltrasio in una vecchia cartolina

View of Moltrasio in an old postcard

Laglio: la piramide Frank (sec. XIX)

Laglio: Frank pyramid (XIX Cent.)

VECCHIA STRADA
REGINA TEODOLINDA

In volo su Torno

Torno: il porticciolo e la chiesa di S. Tecla

Torno: the harbour and Church of St. Tecla

Torno: il rosone di S. Tecla

Torno: the rose window of St. Tecla

Blevio: villa Cademartori

Blevio: Villa Cademartori

RAMO DI COMO   COMO BRANCH

Il paese avvolto nella calda luce serale

The village wreathed in the warm evening light

Turisti in battello

L' oro dell' acqua al tramonto

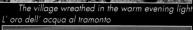

Tourists in a boat

Golden water at sunset

La solitaria villa Pliniana (sec. XVI)

A dieci miglia di distanza da Como, sotto le ripide pareti delle montagne poste ad oriente, c'era, di fronte al lago, una villa chiamata la Pliniana

Mary Shelley, *1826*

Ten miles from Como, under the steep heights of the eastern mountains, by the margin of the lake, was a villa called the Pliniana

Mary Shelley, *1826*

The solitary Villa Pliniana (XVI Cent.)

RAMO DI COMO 29 COMO BRANCH

Careno (Nesso): il lago visto dalla chiesa di S. Martino (sec. XII)

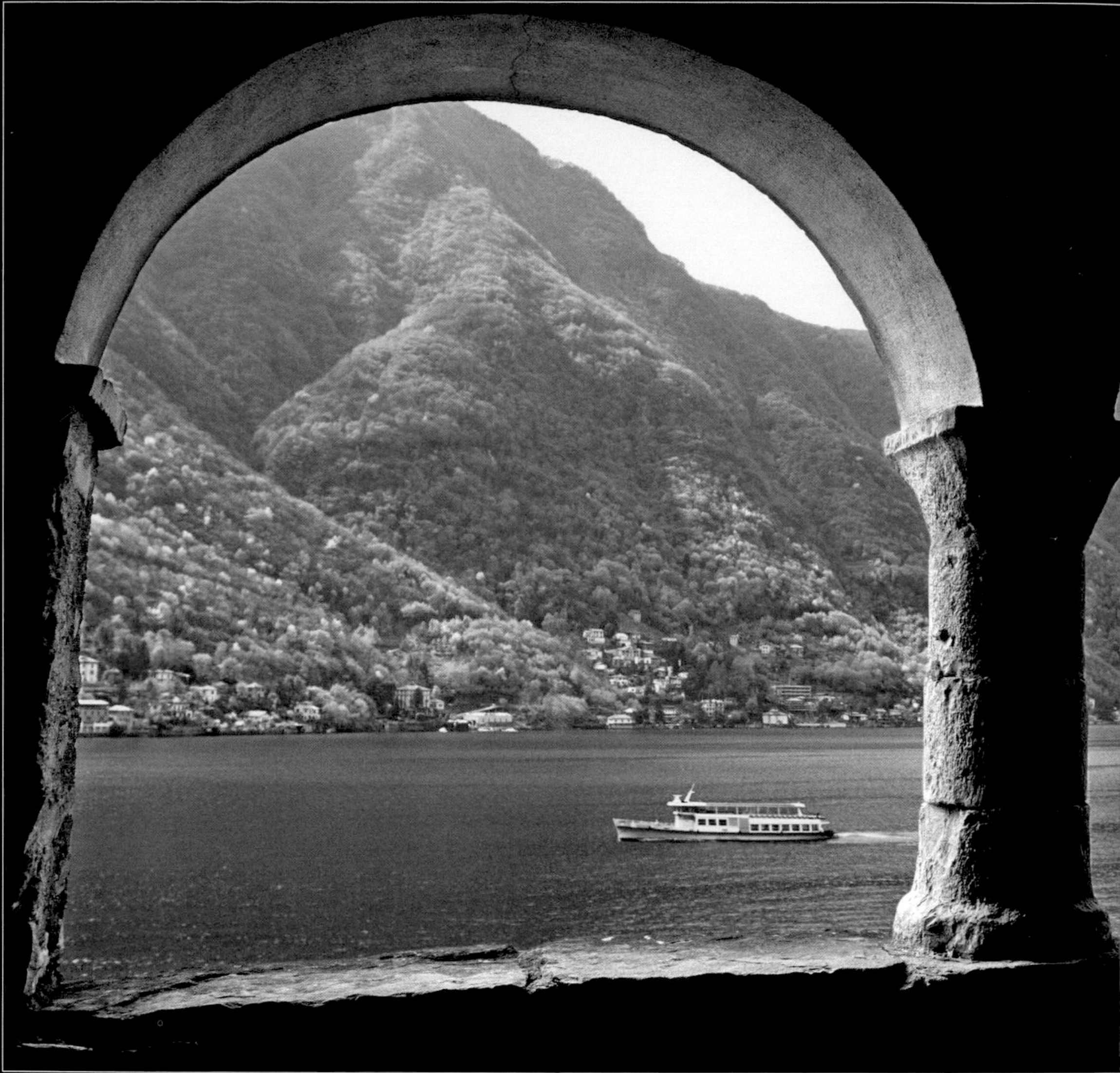

Careno al tramonto

Dusk at Careno

Careno: affresco nella chiesa di S. Martino

Careno: a fresco in the Church of St. Martino

NESSO

Careno (Nesso): the lake seen from the Church of St. Martin (XII Cent.)

RAMO DI COMO   31   COMO BRANCH

L'Orrido fende la montagna

Il ponte a lago e la cascata dell' Orrido

" Piussu 2 miglia è Nesso, tera dove cade uno fiume chon grande empito, per una grandissima fessura di monte "

Leonardo da Vinci, *1500 ca*

The Orrido, the gorge splits the mountain

" Two miles higher up there is Nesso, a place where a river falls with great violence into a vast rift in the mountain "

Leonardo da Vinci, *c. 1500*

The stone footbridge and waterfall in the Orrido

Il ponte a lago, di probabile origine romana

The stone footbridge, probably of Roman origin

La primavera di fronte al castello

I "missoltini", prelibati pesci del lago

Spring in front of the castle

"Missoltini", delicious lake fish

RAMO DI COMO 33 COMO BRANCH

Il ritorno dei pescatori

The return of the fishermen

Primavera ad Argegno

Springtime at Argegno

RAMO DI COMO 34 COMO BRANCH

La sfilata del celebre Carnevale

CARNEVALE di SCHIGNANO

The famous Carnival procession

SCHIGNANO

RAMO DI COMO 36 COMO BRANCH

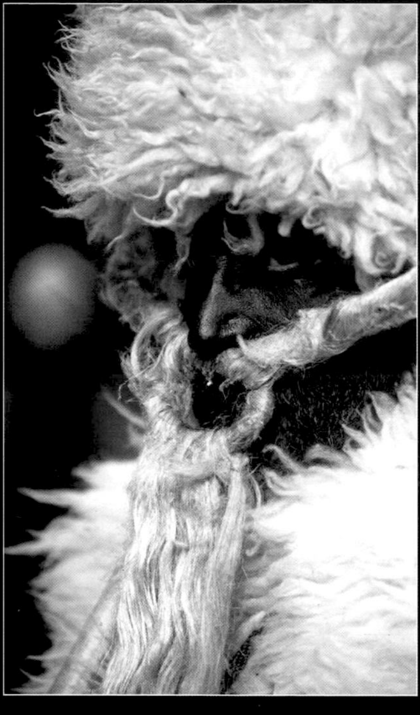

Carnival time

Lanzo d'Intelvi: gli affreschi di SS. Nazaro e Celso

Lanzo d'Intelvi: la chiesa dei SS. Nazaro e Celso (sec. XII)

Lanzo d'Intelvi: the frescoes of Sts. Nazaro and Celso

Veduta della val d'Intelvi da Casasco d'Intelvi

View of the Val d'Intelvi from Casasco d'Intelvi

Lanzo d'Intelvi: Church of Sts. Nazaro and Celso (XII Cent.)

L' ora del riposo

Il porticciolo di Sala Comacina

The siesta hour

The harbour of Sala Comacina

Vogatori

Rowers

SALA COMACINA

" *La festa di S. Giovanni è celebrata tutti gli anni in questa isola, ed una folla immensa accorre da ogni parte per assistervi* "

Joh. Jacob Wetzel, *1822*

" *The Feast of St. John is celebrated every year on this island and a vast crowd gathers from everywhere to take part* "

Joh. Jacob Wetzel, *1822*

The peaceful fishing village and Isola Comacina

Isola Comacina: oratorio di S. Giovanni Battista (XVII sec.)

Isola Comacina: Chapel of St. John the Baptist (XVII Cent.)

Isola Comacina: la tradizionale festa di S. Giovanni

Isola Comacina: the traditional feast of St. John

Ospedaletto (Ossuccio): il famoso campanile della chiesa di S. Maria Maddalena (sec. XIV)

LAGO DI COMO

Ospedaletto (Ossuccio): the famous bell-tower of the Church of St. Maria Maddalena (XIV Cent.)

Spurano (Ossuccio): il campanile a vela della chiesa dei Ss. Giacomo e Filippo (XIV sec.)

Spurano (Ossuccio): the bell-gable of the Church of Sts. Giacomo and Filippo (XIV Cent.)

Villa Giovio Balbiano (sec. XVI): armoniose simmetrie

Villa Giovio Balbiano (XVI Cent.): harmonious symmetries

Ossuccio: il monastero di S. Benedetto in val Perlana (sec. XI)

Ossuccio: Monastery of St. Benedetto in Val Perlana (XI Cent.)

Segnavia e incontri ravvicinati lungo la Via dei Monti Lariani

ROVENNA h.1.05
CERNOBBIO h.1.30

CA'BOSSI h.0.45
S.FEDELE h.7.45

MONTI
1

Trail markers and close meetings along the "Path of the Lario Mountains"

In volo verso Menaggio

" *Grandissimo Lario !* "
Virgilio, *I sec. a.C.*

" *Lari Maxime* "
P. Vergilius Maro, *I sæc a.Chr. n.*

" *O immense Lario!* "
Virgil, *I Cent. B.C.*

Flying towards Menaggio

_C_i sono pochi posti al mondo dove i monti, le acque, la natura, le opere dell'uomo si sposano in maniera così armonica come nel Centro Lago. Là dove s'incontrano i tre rami del Lario, è luogo eccezionale per paesaggio, clima, arte. Coste amene e grandi spazi di acqua coronati dalle Alpi lontane; un clima luminoso e particolarmente temperato; parchi e giardini che ospitano rare piante esotiche e camelie, azalee, rododendri, palme, agrumi. La notissima Bellagio ha un pittoresco borgo, un verde promontorio, eleganti alberghi ed affascinanti ville con grandi parchi: villa Serbelloni e villa Melzi. Non lontano, a Lenno, immersa nel verde ed abbracciata dal lago, villa Balbianello è di una bellezza commovente. Ed ancora, la riviera fiorita ed elegante della Tremezzina, rinomata in campo internazionale per le località di Tremezzo e Cadenabbia. Qui è villa Carlotta, con le colorate distese di azalee fiorite ed i candidi gruppi marmorei della raccolta d'arte. E poi la raffinata Menaggio, località di soggiorno e di transito per la Svizzera. Di fronte, sulla sponda opposta, Varenna, con un centro antico amato dai pittori e le belle ville Cipressi e Monastero. Dall'alto domina il lago, fra gli ulivi, il castello di Vezio.

_T_here are few places in the world where mountains, water, nature and the works of man are arranged in such harmony as at the "Centro Lago". Here, where the three branches of Lake Lario meet, is a place with an exceptional landscape, climate and artistry. The charming shores and large expanses of water are crowned by the distant Alps; the climate is luminous and particularly temperate; parks and gardens host rare exotic plants, camellias, azaleas, rhododendrons, palms and citrus trees. Bellagio is very well known and has a small and picturesque old centre, a verdant promontory, elegant hotels and fascinating villas with large parks: the Villa Serbelloni and the Villa Melzi. Nearby, at Lenno, hidden among green woods and embraced by the lake, the Villa Balbianello is astoundingly beautiful. And there is still more, the flowery and elegant riviera of Tremezzina, renowned in international circles for the towns of Tremezzo and Cadenabbia. Here you can admire the Villa Carlotta, with its colourful expanse of flowering azaleas and the white marble groups in the art collection. Next cultured Menaggio, a holiday resort and on the route to Switzerland. Facing it, on the opposite shore, is Varenna, with an ancient centre much loved by painters and the beautiful Villas Cipressi and Monastero. The Castle of Vezio, set among olive groves, dominates the lake from above.

Monte Grona
(1736 m)
PLESIO
GRANDOLA E UNITI
MENAGGIO
Monte di Tremezzo
(1700 m)
GRIANTE
CADENABBIA
TREMEZZO
VARENNA
BELLAGIO
LENNO
Tremezzina
Isola Comacina

In volo su villa Balbianello, immersa nel verde (sec. XVIII)

*" Quando scriverete la storia di due amanti felici,
ambientatela sulle rive del lago di Como "*
Franz Liszt, *1837*

*" When you want to write the story of two happy lovers,
choose the shores of Lake Como as your setting "*
Franz Liszt, *1837*

Flying over Villa Balbianello, immersed in green (XVIII Cent.)

Villa Balbianello vista dal lago

Villa Balbianello, a view from the lake

La chiesetta di villa Balbianello

LENNO

Villa Balbianello: statues of Olympian beauty

Villa Balbianello: pietre preziose

The Villa Balbianello Chapel

Villa Balbianello: fine stone amphorae

Villa Balbianello: la loggia

Villa Balbianello: the loggia

Villa Balbianello: l´approdo dal lago

Villa Balbianello: the landing place from the lake

Tremezzo: villa La Quiete (sec. XVIII, in primo piano) e villa La Carlia (sec. XVII)

TREMEZZINA

Villa La Quiete (in the foreground, XVIII Cent.) and Villa La Carlia (XVII Cent.)

Monte di Tremezzo ↓

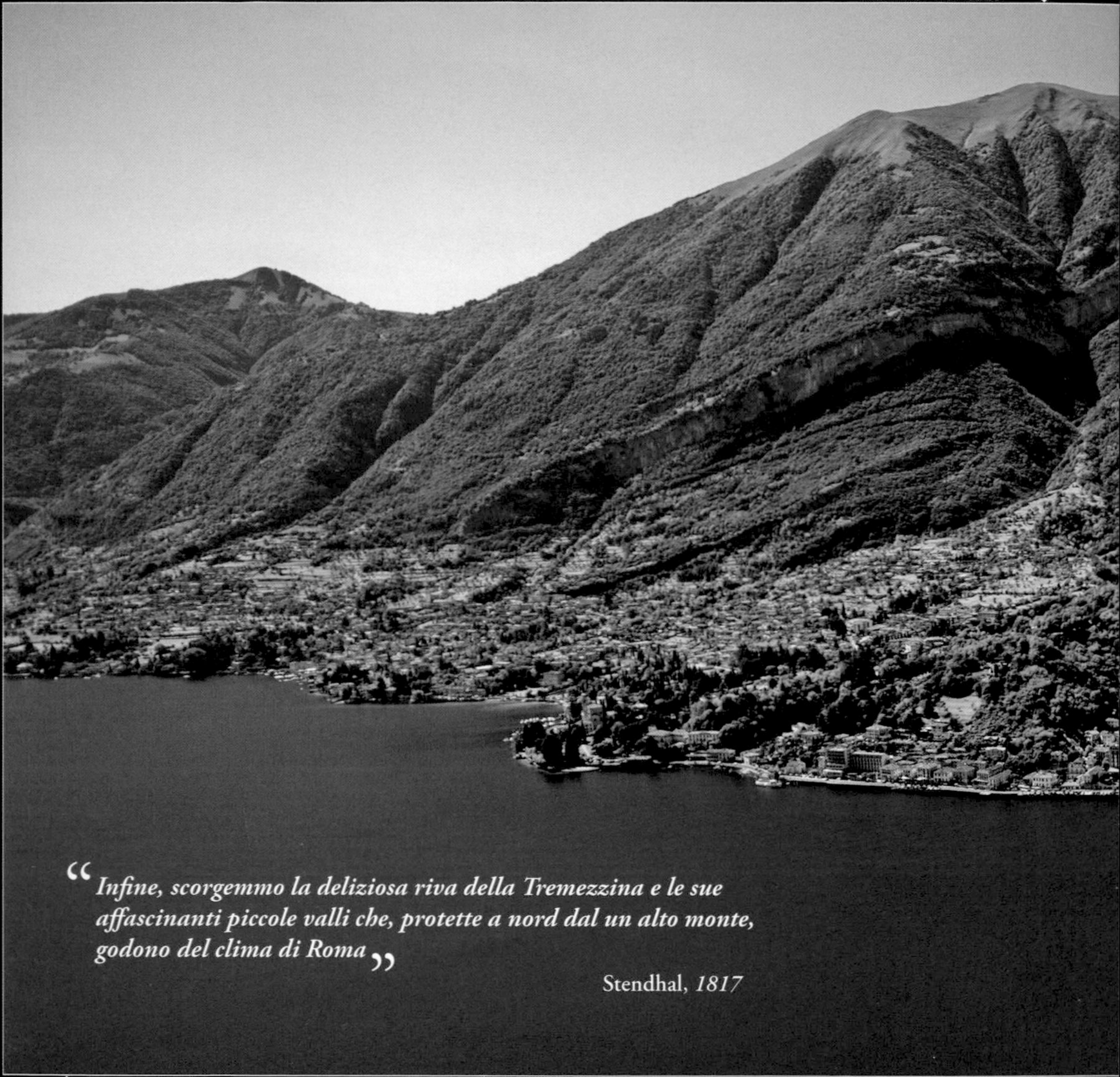

“Infine, scorgemmo la deliziosa riva della Tremezzina e le sue affascinanti piccole valli che, protette a nord dal un alto monte, godono del clima di Roma”
Stendhal, 1817

↑ Lenno
Villa La Quiete ↑
Tremezzo ↑
Grand Hotel Tremezzo

> *" Finally, we saw the delightful shore of Tremezzina and its fascinating small valleys which, protected from the north by a high mountain, enjoy the climate of Rome "*
>
> Stendhal, *1817*

Villa Carlotta ↑   ↑ Cadenabbia

Tremezzo: guardiano di pietra

Tremezzo: luci dorate

Tremezzo: a stone guardian

Tremezzo: golden lights

La caratteristica barca del lago di Como

Cadenabbia (Griante): riposo sotto il glicine in fiore

The traditional Lake Como boat

Cadenabbia (Griante): relaxing under the flowering wisteria

Cadenabbia (Griante): il vecchio battello Bisbino riposa davanti ai giardini di Villa Carlotta

Cadenabbia (Griante). The old steamer Bisbino anchored in front of the Villa Carlotta gardens

Cadenabbia (Griante): Hotel Bellevue

Vecchio disegno pubblicitario

Tremezzo: il Grand Hotel Tremezzo

Cadenabbia (Griante): Hotel Bellevue

An old advertisement

Tremezzo: Grand Hotel Tremezzo

Tremezzo: Villa Carlotta (XVIII Cent.)

Lo scenografico ingresso di villa Carlotta

VILLA CARLOTTA

TREMEZZINA

The theatrical entrance to the Villa Carlotta

CENTRO LAGO 59 CENTRE LAKE

Villa Carlotta: l'eleganza

Villa Carlotta: elegance personified

Veduta aerea dei giardini in fiore di villa Carlotta

An aerial view of the Villa Carlotta gardens in flower

Lungo le terrazze di villa Carlotta

Along the Villa Carlotta terraces

Villa Carlotta: dettaglio della facciata

Villa Carlotta: detail of the façade

Villa Carlotta: azalee

Villa Carlotta: azaleas

Villa Carlotta: pausa per orientarsi

Villa Carlotta: a stop to find the way

CENTRO LAGO 61 CENTRE LAKE

TREMEZZINA

Villa Carlotta: Cupid and Psyche, a copy of the marble group by Antonio Canova (XIX Cent.)

Villa Carlotta: Flora, la dea dei fiori

TREMEZZINA

FLORA

Villa Carlotta: Flora, the goddess of flowers

Villa Car

Cadenabbia (Griante): villa Maria (sec. XIX)

TREMEZZINA

conversation, wreathed by flowering azaleas

Cadenabbia (Griante): Villa Maria (XIX Cent.)

Alberghi e palazzi si affacciano sul lago

> *Poi nel pomeriggio prendemmo il battello per una piacevole escursione verso questa località - Bellagio*
>
> Mark Twain, *1869*

> *Then took the small steamer and had an afternoon's pleasure excursion to this place,–Bellagio*
>
> Mark Twain, *1869*

Hotels and buildings facing onto the lake

Magiche luci avvolgono il promontorio di Bellagio

3
GRANDI

Magical lights enfold the Bellagio promontory

The Serbelloni ascent

In volo sul borgo di Bellagio, mentre giunge il piroscafo Concordia

Flying over the town of Bellagio, while the Concordia paddle steamer docks

CENTRO LAGO   CENTRE LAKE

I fiori incorniciano Bellagio

I tipici negozi di salita Serbelloni

Typical shops along the Serbelloni ascent

Una vecchia cartolina

An old postcard

Flowers frame Bellagio

CENTRO LAGO 72 CENTRE LAKE

Il tassì del lago

The lake taxi

Sosta tra fiori e lago

A stop between flowers and lake

Veduta aerea di villa Melzi (sec. XIX)

Aerial view of Villa Melzi (XIX Cent.)

Villa Melzi: classica beltà

Villa Melzi: a classical beauty

Villa Melzi: il poeta Dante condotto per mano da Beatrice, sua musa

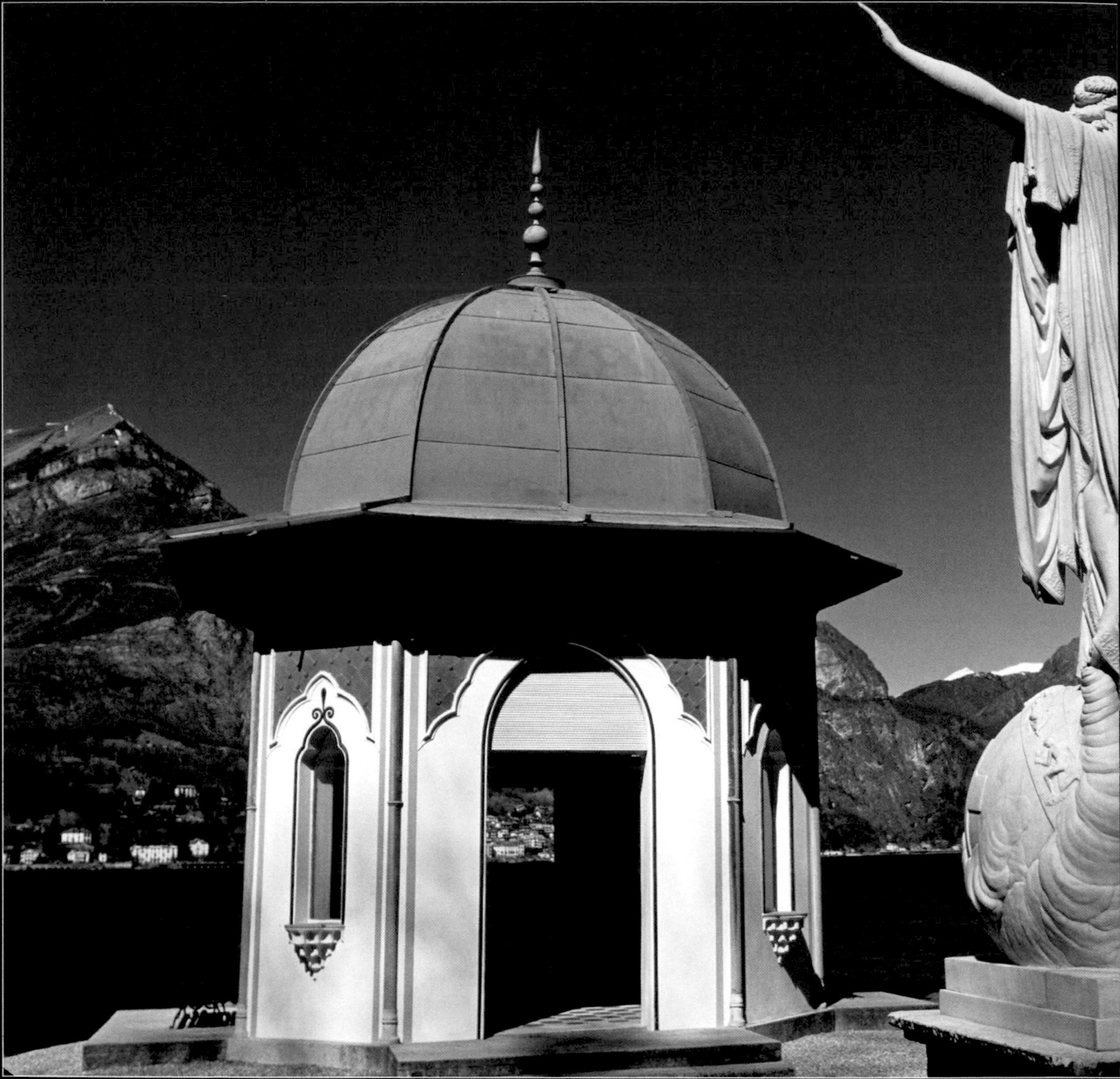

Villa Melzi: Beatrice, th

poet Dante's muse, leading him by the hand

Palms at the Villa Melzi

CENTRO LAGO 75 CENTRE LAKE

L'argento del mattino avvolge Bellagio

La luna piena rischiara villa Melzi

The silver of morning enfolds Bellagio

The full moon illuminates Villa Melzi

CENTRO LAGO   CENTRE LAKE

" *Varenna, in mezzo a splendidi giardini, è una delle stazioni più frequentate del lago. Al di sopra spiccano le rovine del castello di Vezio* "

Gabriel Faure, *1922*

" *Varenna, in the midst of splendid gardens, is one of the most visited resorts on the lake. The ruins of the Castle of Vezio stand out above* "

Gabriel Faure, *1922*

Flying over the Varenna promontory

Fuochi d'artificio durante la "Festa del lago"

Fireworks during the "Lake Festival"

CENTRO LAGO 80 CENTRE LAKE

Luci e colori di una notte a Varenna

Ultime luci sul lago ondoso

Lights and colours of a night in Varenna

Cornice di pietra

Stone framing arch

Last lights on the rippling lake

CENTRO LAGO 81 CENTRE LAKE

In volo sul castello di Vezio e su Varenna. Sullo sfondo, Bellagio

Flying over Vezio Castle and Varenna, Bellagio in the background

Il medioevale castello di Vezio

Varenna: il Fiumelatte, il più breve fiume italiano (250 m)

SENTIERO DEL
VIANDANTE
AZ. PROM. TUR. LECCHESE

FIUMELATTE
IL FIUME PIÙ BREVE
D'ITALIA

The mediaeval Vezio Castle

Falconiere al castello di Vezio

Rapaci

A falconer at Vezio Castle

Varenna: Fiumelatte, the milky river, the shortest river in Italy (250 m)

Villa Monastero (sec. XVII)

Villa Monastero (XVII Cent.)

Villa Monastero incorniciata dal glicine

Villa Cipressi (sec. XIX) vista da villa Monastero

Villa Monastero framed by wisteria

Villa Cipressi (XIX Cent.) seen from Villa Monastero

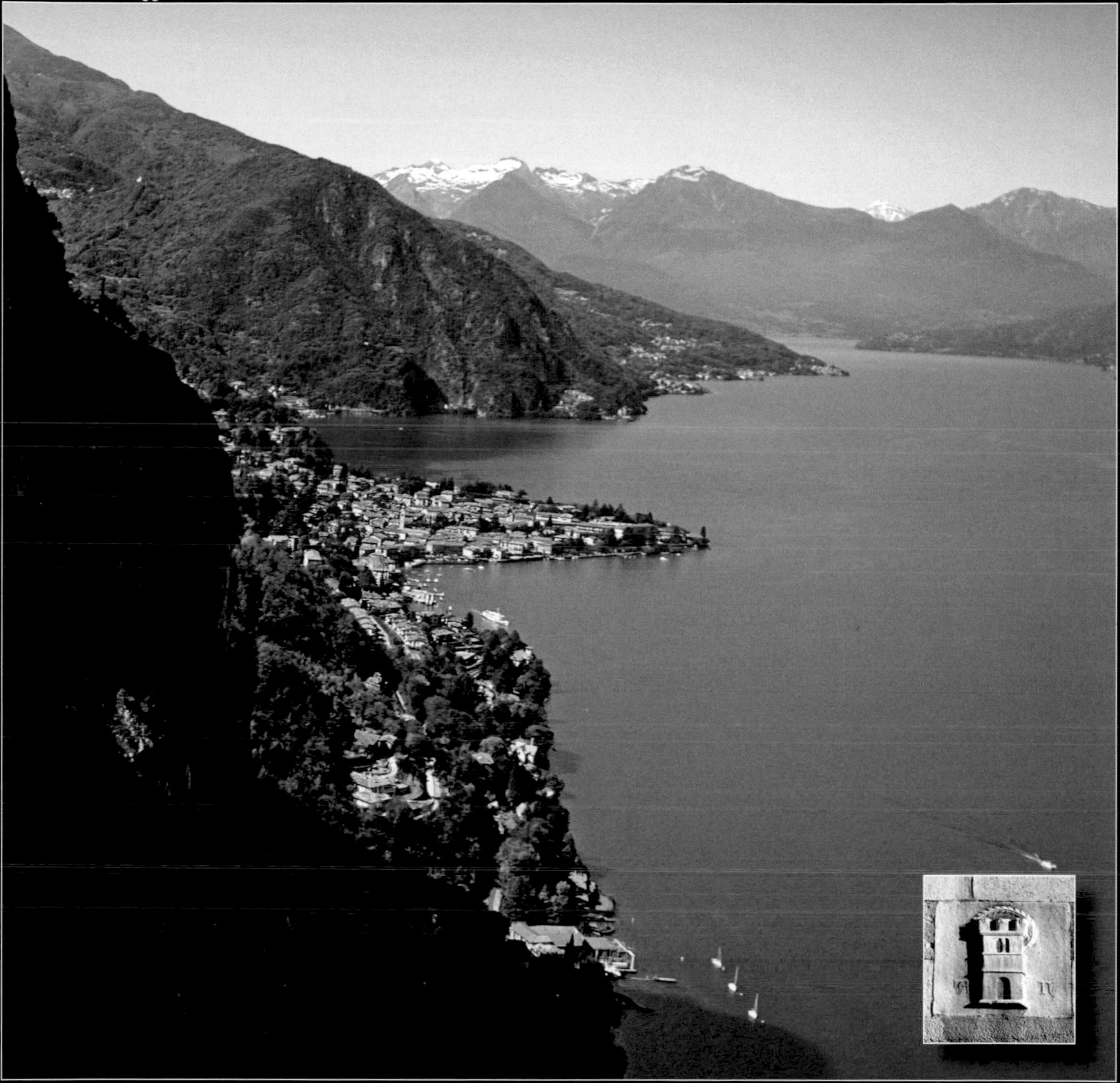

In flight towards Menaggio

Notturno natalizio

A Christmas night

Vista dal lago

A view from the lake

Passeggiata sul lungolago

A walk along the lakeside promenade

Contemplazione

Contemplation

CENTRO LAGO 87 CENTRE LAKE

Piazzo (Plesio), immerso nei boschi

Piazzo (Plesio), immersed in the woods

Nobiallo (Menaggio): il campanile pendente

Nobiallo (Menaggio): the leaning bell-tower

Grandola e U.: villa Bagatti Valsecchi (sec. XVIII)

Grandola e U.: Villa Bagatti Valsecchi (XVIII Cent.)

Grandola e U.: la grazia di una finestra

Grandola ed U: the grace of a window

Il Monte Grona (1736 m) e il Monte Bregagno (2107 m)

Rifugio Menaggio

Mount Grona (1736 m) and Mount Bregagno (2107 m)

Sorella acqua (S. Francesco)

Cavargna: oratorio di S. Lucio (sec. XIV)

Sister water (St. Francis)

Cavargna: Chapel of St. Lucio (XIV Cent.)

Mi ricordo come tempo addietro, tra il caos di neve e roccia della sommità di un passo alpino, vidi dall'alto apparire in lontananza la Lombardia splendente di sole, che si distendeva in una magnifica visione di laghi azzurri e verdi colli ondulati, sino a confondersi in una foschia dorata che drappeggiava l'orizzonte lontano **"**

Arthur Conan Doyle, *1919*

" I am reminded of how once, from amid the bleak chaos of rock and snow at the head of an Alpine pass, I looked down upon the far stretching view of Lombardy, shimmering in the sunshine and extending in one splendid panorama of blue lakes and green rolling hills until it melted into the golden haze which draped the far horizon "

Arthur Conan Doyle, *1919*

CENTRO LAGO 91 CENTRE LAKE

" *Ecco, man mano che ci si avanza verso la fine del lago i suoi abitati si fan radi, i monti dirupati, l'ampiezza dell'acque respirante e ventosa* "

Carlo Linati, *1927*

" *Here, as you move gradually towards the end of the Lake, the villages become sparse, the mountains precipitous, the expanse of waters extensive and windy*

Carlo Linati, *1927*

The Upper Lake, and the Pian di Spagna

ALTO LARIO ♡ UPPER LAKE

*Q*uesto ramo si caratterizza per una certa severità del paesaggio. Boscosi pendii montani digradano verso le acque, spesso battute dal vento; le alte vette dei monti Legnone e Bregagno dominano il lago. L'uomo si è insediato sui tratti di costa pianeggianti e sulle penisole, territori entrambi formati dai sedimenti dei torrenti; ha trasformato le pendici più amene in terrazzamenti per accogliere la vite. Alla sommità settentrionale del lago, i monti che lo hanno fiancheggiato lasciano spazio ad un'ampia piana, dove convergono i due fiumi immissari: il Mera e l'Adda. Gemma del luogo è la riserva naturalistica del Pian di Spagna dove, fra canneti e prati umidi, sostano e nidificano specie protette di uccelli. Sulla costa orientale, il verdissimo promontorio dell'Olgiasca cinge un'insenatura tanto profonda da essere chiamata laghetto di Piona. Nell'Alto Lario s'incontrano splendidi borghi - quelli di Rezzonico e Corenno Plinio sembrano usciti da affreschi medievali - e località a vocazione turistica: Dongo, Gravedona, Domaso, Bellano e Colico. La chiesa di S. Maria del Tiglio a Gravedona e l'abbazia di Piona sono tra le architetture più insigni; a punteggiare il paesaggio, in posizione dominante, vi sono chiesette, torri, castelli e forti militari abbandonati.

*T*his branch of Lake Como is typified by a certain severity of landscape. Wooded mountain slopes fall towards the waters, often battered by the wind; the high peaks of Mounts Legnone and Bregagno dominate the lake. Man has settled on the stretches of flat shore and on the promontories, both areas formed by the sediment from the mountain streams, the gentler slopes have been transformed into terraces for vines. At the northern end of the lake the mountains that flanked it open out into a wide plain, where the two tributaries, the Rivers Mera and Adda, converge and flow into it. The Pian di Spagna nature reserve is the jewel in the crown of the area, set amidst the reed beds and water meadows many protected bird species thrive and nest there. On the eastern shore, the verdant promontory of Olgiasca encloses a very deep inlet called the Laghetto di Piona. Many fine villages, such as Rezzonico and Corenno Plinio seem to have stepped out of a mediaeval fresco and tourist resorts such as Dongo, Gravedona, Domaso, Bellano and Colico can be found in the Alto Lario. The Church of St. Maria del Tiglio at Gravedona and the Abbey of Piona are among the most important architectural sites, the landscape is dotted with chapels, towers, castles and abandoned military forts, all located in dominant positions.

Villa La Gaeta: sullo sfondo il Monte Legnone (2609 m)

Villa La Gaeta. In the background, Mount Legnone (2609 m)

Acquaseria (S.Siro): dazzling lights on the shore

Navigando verso la sommità del lago

I "missoltini,,, pesci simbolo del lago di Como

Sailing towards the tip of the lake

"Missoltini", symbolic fish of Lake Como

ALTO LARIO 95 UPPER LAKE

Flying over the ancient village of Rezzonico

Mimose di primavera a Rezzonico (S. Siro)

Spring mimosa at Rezzonico (S. Siro)

Rezzonico: i merli del castello Della Torre

The battlements of Della Torre Castle

Agave americana

American aloe

ALTO LARIO 97 UPPER LAKE

Aerial view of Gravedona

ALTO LARIO 98 UPPER LAKE

Camelie

Palazzo Gallio (sec. XVI)

Camellias

Gallio Palace (XVI Cent.)

Poggio del Castello spruzzato di neve

Snow on Poggio del Castello

Regata

A sailing regatta

ALTO LARIO   99   UPPER LAKE

Invito alla vacanza

A holiday invitation

La chiesa di S. Maria del Tiglio (sec. XII)

Church of St. Maria del Tiglio (XII Cent.)

Affreschi a S. Maria del Tiglio (sec. XIV)

Frescoes at St. Maria del Tiglio (XIV Cent.)

La caratteristica torre campanaria di S. Maria del Tiglio

The typical bell-tower of St. Maria del Tiglio

ALTO LARIO 101 UPPER LAKE

Villaggi sparsi nel verde dei monti sopra Gravedona

Villages scattered among the mountain greenery above Gravedona

Sorico: la "torrre quadrata"

Fienagione

Abitazioni rustiche a Rancio (Gravedona)

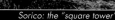

Sorico: the "square tower"

Haymaking

Rustic dwellings at Rancio (Gravedona)

Consiglio di Rumo: la chiesa di S. Giovanni (sec. XV) guarda acque e monti

Consiglio di Rumo: the Church of St. Giovanni watches over the waters and mountains

Stazzona: "Masun", antica abitazione in pietra, legno e paglia

Vecchia porta

Oca altera

Stazzona: "Masun", an ancient house of stone, wood and straw

An old door

A proud goose

ALTO LARIO 103 UPPER LAKE

Peglio: la chiesa di S. Eusebio (sec. XVII)

PEGLIO

Peglio: Church of St. Eusebio (XVII Cent.)

Il Monte Bregagno (2107 m) nel tardo autunno

Mount Bregagno (2107 m) in late autumn

Livo, l'antico borgo

Lavori estivi

Abitazione rurale a Livo

Livo, the old village centre

Summer work

Rural dwelling at Livo

Il porticciolo nell'invernale luce cristallina

The harbour in the crystalline winter light

In volo sulle onde

Flying over the waves

Le barche dei pescatori

Fishing boats

ALTO LARIO 106 UPPER LAKE

Sorico: il solitario santuario di S. Miro (sec. XV)

Sorico: the solitary Sanctuary of St. Miro (XV Cent.)

Gera Lario: il faro guarda il lago

Gera Lario: the lighthouse watches over the lake

PIAN DI SPAGNA

È un paesaggio strano, fantastico, dalle vaste prospettive acquidose variate a quinte di prati, a collinette e a paludi
Carlo Linati, *1927*

It is a strange, fantastic landscape, from vast watery perspectives to variegated chequerboards of meadows, small hills and marshes
Carlo Linati, *1927*

The River Adda in flood enters the lake

Cavalli nel Pian di Spagna inondato dal fiume Adda

Horses on the Pian di Spagna flooded by the River Adda

Cavalli e puledri

Horses and foals

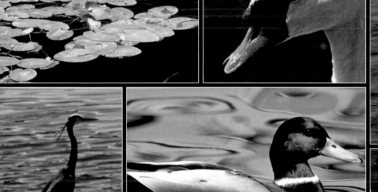

Aquatic plants and birds

COLICO

Le luci del tramonto

Lights of dusk

Tramonto sul porto

Sunset on the port

Pausa di gruppo

Resting group

ALTO LARIO 112 UPPER LAKE

COLICO

The Olgiasca promontory (in foreground) encloses the small lake of Piona

Il laghetto di Piona

The small lake of Piona

COLICO

Abbey of Piona (XII Cent.)

Abbazia di Piona: l'arrivo del battello

Abbey of Piona: arrival of the boat

Abbazia di Piona: il chiostro

L'ingresso al chiostro

Abbey of Piona: the cloister

Abbey of Piona: the entry to the cloister

ALTO LARIO   115   UPPER LAKE

Corenno Plinio (Dervio): the castle and bell-tower protect the houses and harbour

Corenno Plinio (Dervio): il riposo delle barche

Corenno Plinio (Dervio): boats at rest

La torre del medioevale castello di Dervio

Un vicolo di Corenno Plinio

Lampioni a Corenno Plinio

The mediaeval tower of Dervio Castle

An alleyway in Corenno Plinio

Street lights in Corenno Plinio

Corenno Plinio (Dervio): il castello-recinto (sec. XIV) e la chiesa di S. Tommaso di Canterbury (sec. XII-XIII)

Corenno Plinio (Dervio): the walled castle (XIV Cent.) and Church of St. Thomas of Canterbury (XII-XIII Cent.)

Corenno Plinio (Dervio): arca funeraria del sec. XIV: angelo

Corenno Plinio (Dervio): sguardo sospettoso

Corenno Plinio (Dervio): XIV Cent. funerary arch: an angel

Corenno Plinio (Dervio): a suspicious glance

Mount Legnone (2609 m) dominates the Upper Lake

Panorama da Bellano: Dervio coronato dai monti innevati

View from Bellano: Dervio crowned by snow-covered mountains

L 'Orrido

Il campanile della parrocchiale

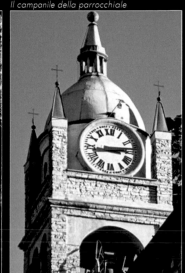

The bell tower of the Parish Church

ORRIDO

"*Questa cascata spaventosa e sublime è conosciuta con il nome di Orrido di Bellano*"

Joh. Jacob Wetzel, *1822*

"*This awesome and sublime waterfall is called the Orrido di Bellano*"

Joh. Jacob Wetzel, *1822*

The gorge of the Orrido

Uno stretto vicolo

A narrow alleyway

Il ramo di Lecco verso sud

" *Quel ramo del lago di Como, che volge a mezzogiorno, tra due catene non interrotte di monti, tutto a seni e a golfi* "
Alessandro Manzoni, *1827*

" *That branch of Lake Como, which extends towards the south, is enclosed by two unbroken chains of mountains, which, as they advance and recede, diversify its shores with numerous bays and inlets* "
Alessandro Manzoni, *1827*

The Lecco branch southward

Il ramo di Lecco ha un paesaggio dall'aspetto severo, a tratti aspro. La massiccia Grigna settentrionale (Grignone), le guglie e le torri della Grigna meridionale (Grignetta) incombono sul lago. La sequenza di ripidi versanti, sovente rocciosi, che stringono le acque può ricordare un nordico fiordo. Ma qui, nelle estreme propaggini delle Alpi, il paesaggio ha anche il richiamo della dolcezza mediterranea: ridenti cittadine che si protendono nel lago; tratti di costa che attraggono i bagnanti nella bella stagione; una "Costiera degli Oliveti", sulla sponda occidentale. Vi è anche un gruppo serrato di vecchi edifici circondati dalle acque, il Castello di Lierna, che sembra disegnato per un libro di fiabe. Mandello del Lario, con le medievali case porticate, ed Abbadia Lariana, che ha dedicato un museo alla tradizionale lavorazione della seta, sono le cittadine più note. All'estremità meridionale del ramo si trova Lecco, dove il lago si restringe per dar luogo all'Adda, suo unico emissario. È una moderna città cresciuta intorno ai vecchi rioni e sobborghi. Bello è passeggiare sul panoramico lungolago e nelle accoglienti vie del centro. Domina Lecco un monte che le è caro, il Resegone, dal caratteristico profilo dentato.

The Lecco branch has a landscape with a severe and sometimes harsh appearance. The northern Grigna massif (Grignone) and the pinnacles and towers of the southern Grigna (Grignetta) loom over the lake. The series of steep slopes, often rocky, that press onto the waters are reminiscent of a Nordic fiord. But here, at the extreme offshoots of the Alps, the landscape also recalls the sweetness of the Mediterranean. Cheerful little towns that stretch out into the lake, lengths of shore that, in the summer, attract swimmers. The "Costiera degli Oliveti" is a shore covered by olive groves on the western bank. There is also the Castle of Lierna, a group of closely packed old buildings surrounded by water, that seems to be an illustration for a book of fairy stories. Mandello del Lario, with its mediaeval arcaded houses, and Abbadia Lariana, that has a museum devoted to the traditional silk industry, are the best-known towns. Lecco is located at the extreme southern tip of the branch, where the lake narrows to give place to the River Adda, its only outlet. Lecco is a modern city that has grown up around old districts and suburbs. It is very pleasant to walk along the panoramic "lungolago" lakeside path and along the welcoming streets of the centre. The Resegone mountain, very dear to the town, dominates with its characteristic jagged outline.

Il "Castello", nucleo di origine medioevale

VIA DEI PESCATORI

The "Castle", the mediaeval nucleus

Lierna: il lago fa da cielo al "Castello"

La Grigna settentrionale si erge sul lago

Lierna: the lake forms a sky to the "Castlo"

Una colonia di gabbiani

A colony of seagulls

The northern Grigna looms over the lake

GRUPPO DELLE GRIGNE

The North Grigna (Grignone, 2409 m)

In volo verso Mandello del Lario

Flying towards Mandello del Lario

L'ingresso all'imbarcadero

NAVIGAZIONE

The entrance to the landing stage

Vecchio cannone

An old cannon

Le vecchie case porticate

Old arcaded houses

Affreschi nell'oratorio di S. Giorgio (sec. XV)

Chapel of St. George: XVI Cent. fresco

Un giorno d'estate

OLIVETO LARIO

" *La freschezza delle acque tempera un ardente sole* "
Franz Liszt, *1837*

" *The sun's heat is tempered by the cool waters* "
Franz Liszt, *1837*

A summer day

RAMO DI LECCO 129 LECCO BRANCH

La Grigna meridionale (Grignetta, 2177 m) ed il Piano Resinelli

" *La Grignia è la più alta montagnia ch'abbi 'n questi paesi ed è pelata* "

Leonardo da Vinci, *1500 ca*

" *La Grigna is the highest mountain there is in this part, and it is quite bare* "

Leonardo da Vinci, *c. 1500*

Malga Rosalba

The South Grigna (Grignetta, 2177 m) and Piano Resinelli

OLIVETO LARIO

Aerial view of Lecco

Aerial view of the historic centre. Foreground, Basilica of St. Nicolò (XIX Cent.)

Mercatino dell'antiquariato in piazzza XX Settembre

LECCO

Small antiquarian market in Piazza XX Settembre

Torre del Palazzo delle Paure

The tower of the Palazzo delle Paure

Colori serali

Evening colours

Fruttivendolo. In alto, l'ottagonale campanile di S. Nicolò

La medioevale Torre Viscontea

The mediaeval Viscontea Tower

Passaggio coperto nel centro storico

A greengrocer. Above, the octagonal bell-tower of St. Nicolò

Covered passageway in the historic centre

Tramonto sul porto

Evening over the port

Veduta notturna

A night view

RAMO DI LECCO 137 LECCO BRANCH

Il borgo di Pescarenico

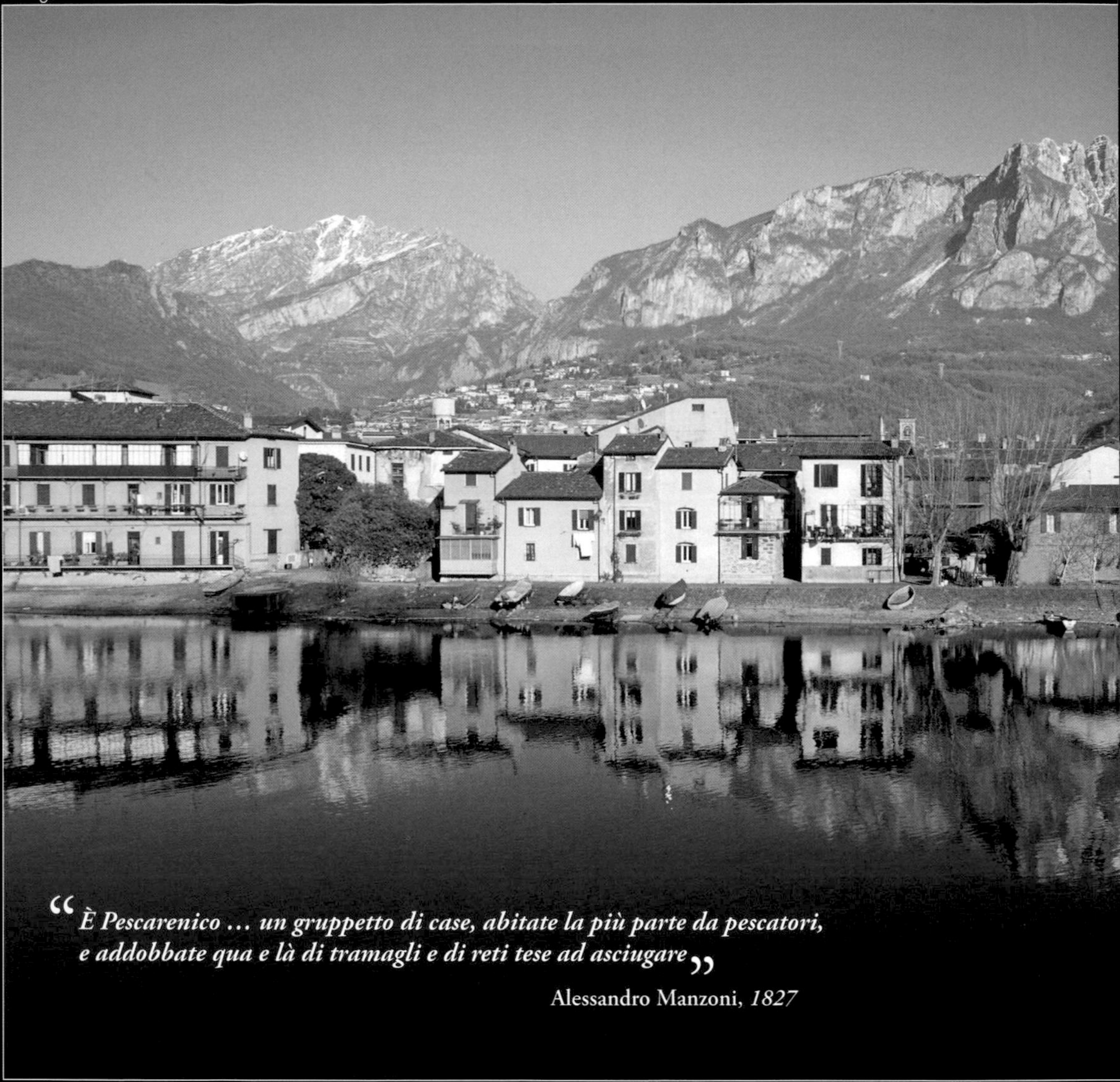

“*È Pescarenico … un gruppetto di case, abitate la più parte da pescatori, e addobbate qua e là di tramagli e di reti tese ad asciugare*”

Alessandro Manzoni, *1827*

Monumento ad Alessandro Manzoni

Monument to Alessandro Manzoni

Vecchie case nel borgo di Acquate

Old houses in the hamlet of Acquate

" *Pescarenico is ... a group of houses, inhabited for the most part by fishermen, and adorned here and there with nets hung out to dry* "

Alessandro Manzoni, *1827*

The hamlet of Pescarenico

Il monte Resegone (1875 m)

Il Resegone, dai molti suoi cocuzzoli in fila, che in vero lo fanno somigliare a una sega

Alessandro Manzoni, *1827*

Il Resegone, because of its many peaks seen in profile, which in truth resemble the teeth of a saw

Alessandro Manzoni, *1827*

Mount Resegone (1875 m)

La luna adorna il Resegone

The moon adorns the Resegone

Sulla cima della Grignetta: il bivacco Ferrario

On the peak of the Grignetta: the Ferrario bivouac

In alto: la Rocca di Chiuso, conosciuta come il "castello dell'Innominato"; in basso: il santuario di S. Girolamo

" Il castello dell'innominato era a cavaliere a una valle angusta e uggiosa, sulla cima d'un poggio che sporge in fuori da un'aspra giogaia di monti "

Alessandro Manzoni, *1827*

" The Castle of the Unnamed was commandingly situated over a dark and narrow valley, on the summit of a cliff projecting from a rugged ridge of hills "

Alessandro Manzoni, *1827*

Above: the "fortress" of Chiuso, known as the "Castle of the Unnamed". Below: the Sanctuary of St. Girolamo

Le ultime luci del giorno

The final light of the day

Il borgo si affaccia sul lago

The village faces onto the lake

Vele e remi

Sails and oars

RAMO DI LECCO   LECCO BRANCH

The Milano paddle steamer (1904)

Tremezzina

Testi letterari

È fertile et delitioso il territorio, et specialmente per spatio d'un miglio per ogni verso: tanto ameno et vago che pittore più bello né lieto li potrebbe formare, oltre l'essere fruttifero. Dove - fra oliveti et allori verdi, fra amenissimi giardini et vigne bene ordinate - si veggono edifitij diversi, lungo un'acqua, limpida et chiara, per accomodare il ferro, rame et ottone in quella guisa che più piace, con grossi martelli di ferro alzati dalla forza di quell'acqua che fa girare delle ruote per questo effetto et adoperare altri ordigni per disporre quelle materie al volere di quelli che le maneggiano, oltre alle fornaci di fuoco ardentissimo. Et perché a questo delitioso sito non manchi cosa alcuna per renderlo vago et pomposo, si veggono bellissime case, magnifici palazzi delle famiglie Spini, Arrigoni, Mazzoni, Longhi, Gazzi et altre come gioie piantate in questo bello sito di Lecco…

Roberto Rusca, *Breve descrittione dè principali luoghi del territorio e vescovado di Como*, 1629

Proseguimmo lungo quei bei sentieri,
camminando per due giorni in presenza del lago,
che addentrandosi entro le Alpi, assumeva
un carattere più severo. La seconda notte
fummo svegliati nel sonno e, ingannati
dai rintocchi dell'orologio di un campanile,
da noi mal compresi, ci alzammo
al chiaro di luna, certi che il giorno fosse prossimo
e che, condotti da un sicuro sentiero
lungo il sinuoso bordo del lago,
come prima avremmo ammirato lo scenario
assopito in un profondo riposo. Lasciammo la città
di Gravedona con questa speranza; ma subito
ci perdemmo, smarriti entro immensi boschi,
e ci sedemmo su una roccia, ad aspettare il giorno.
Era un luogo aperto che dominava
dall'alto l'acqua cupa più in basso,
sulla quale giaceva la smorta immagine rossa
della luna, che cambiava sovente forma
come un serpente irrequieto. Per ore ed ore
sedemmo, sedemmo, meravigliandoci che la notte
fosse trattenuta da un incantesimo. Alla fine
distendemmo sulla roccia le stanche membra per riposare
ma "non potemmo" dormire, tormentati dalle punture
degli insetti che, con un ronzio come a mezzogiorno,
gremivano tutti i boschi. Il grido di uccelli sconosciuti,
le montagne visibili più per la scurezza
delle loro dimensioni che per una luce esterna;
la distesa desolata di nuvole immobili; l'orologio
che rintoccava, con voce incomprensibile,
lunghe ore; il fragore dei torrenti,
e, di quando in quando, il fruscio di un movimento vicino,
tutto ciò non ci lasciava liberi dalla paura.
Ed infine, la luna che si ritraeva e tramontava
di fronte a noi, mentre era ancora alta nel cielo.
Questa fu la nostra vita; e questa fu la notte d'estate
che fece seguito ai due giorni dorati che si sparsero
sul lago di Como e che intorno ad esso lasciarono
la più fiabesca, dolce e felice influenza.

Ma qui devo terminare e dire addio
a quei giorni che ci donavano continuamente nuove visioni,
densi di sempre nuove avventure, durante un viaggio
che si prolungò sino a quando i primi spruzzi di neve autunnale

misero alla prova il nostro passo infaticabile…

William Wordsworth, Il Preludio, 1799

Milano, Aprile 1818

Mio caro Peackock, … Siamo stati a Como, in cerca di una casa. Questo lago supera in bellezza tutto quello che ho già visto, fatta eccezione per le isole degli albatri di Killarney. È lungo e stretto ed ha l'aspetto di un immenso fiume che si snoda tra montagne e foreste. Ci siamo imbarcati a Como per raggiungere una località chiamata Tremezina e così abbiamo visto i vari aspetti che ci offre questo tratto di lago. Le montagne tra Como e questo villaggio, o meglio, questo susseguirsi di villaggi, sono ricoperte in sommità da boschi di castagni (sono castagne commestibili, con le quali i locali si sostentano nei momenti di penuria) e di tanto in tanto essi discendono sino a bordo lago, sporgendosi sull'acqua con i loro vetusti rami. Ma di solito il primo tratto di questa costa è formato da lauri, mirti, fichi selvatici, ulivi, che crescono nelle fenditure delle rocce e che si sporgono dall'alto sulle caverne, facendo ombra a profonde gole, riempite dagli sfavillanti bagliori delle cascate. Vi crescono anche altri arbusti fioriti di cui non conosco il nome. In alto, i campanili delle chiese dei villaggi biancheggiano nello scuro dei boschi. Più in là, sulla sponda opposta che guarda verso sud, le montagne discendono meno ripidamente verso il lago, sebbene siano molto più alte ed alcune siano ricoperte da nevi eterne. Una catena di colli più bassi si interpone tra queste ed il lago e forma strette valli e scogliere, come immagino siano gli abissi dell'Ida o del Parnasso. Qui ci sono uliveti, aranceti, limonaie; ora sono così carichi di frutti, che ci sono più frutti che foglie, e poi vigneti. Questa costa del lago, dove possiede le ville la nobiltà milanese, è un susseguirsi di villaggi. La fusione tra le colture ed il rigoglio selvaggio e l'amabilità della natura è qui così completa, che difficilmente si può distinguere la linea che li separa. Ma lo scenario più bello è quello della villa Pliniana, così chiamata per una fonte descritta da Plinio il Giovane che fluisce e cessa ogni tre ore; essa si trova nel cortile. Questa residenza, che fu un tempo un magnifico palazzo, è ora mezza in rovina e noi stiamo trattando per acquistarla. È costruita su terrazzamenti "tirati su" dal fondo del lago, così come il suo giardino, ai piedi di un dirupo semicircolare ombreggiato da folti boschi di castagni. La vista dal colonnato è la più straordinaria e contemporaneamente la più amabile che occhio umano abbia mai ammirato. Da un lato vi è la montagna ed immediatamente sopra di te ci sono gruppi di cipressi di impressionante altezza, che sembrano perforare il cielo. Dall'alto, da dentro le nuvole - almeno così sembra - scende una cascata di dimensioni grandiose che si frange in mille rivoli su un dirupo boscoso, sin giù verso il lago. Dall'altro lato si possono scorgere l'azzurra distesa del lago punteggiata di vele e le montagne disseminate di campanili. Gli appartamenti della Pliniana sono immensamente vasti, ma mal arredati ed antiquati. La cosa più deliziosa sono le terrazze che guardano sul lago e che conducono all'ombra di lauri così immensi, che è loro riservata la denominazione di Pitici. (…)

Io mi prendo un gran gusto a guardare da qui i cambiamenti del tempo ed il formarsi dei nuvoloni temporaleschi che sovente oscurano il mezzogiorno e che poi, nel pomeriggio, si spezzano e si dissolvono in fiocchi di delicate nuvole. Anche le lucciole si spengono rapidamente; però abbiamo il pianeta Giove, che sorge maestosamente verso sud sopra i crinali dei monti boscosi ed il pallido lampeggiare estivo che di tanto in tanto si diffonde nel cielo notturno. Nessun dubbio che la Provvidenza abbia escogitato tutto questo; e così, quando si spengono le lucciole, chi sta fuori sino a tarda notte può ritrovare la via di casa.

Percy Bysshe Shelley, Lettera, 1818

Da Lady Morgan a Lady Clarke

Lago di Como, villa Fontana, 26 Giugno 1819

Ci sono state messe a disposizione gratuitamente due magnifiche ville sul lago di Como; una di esse, villa Sommariva [Carlotta], è uno dei palazzi più belli della Lombardia. Abbiamo lasciato Milano da dieci giorni e da quel momento abbiamo vissuto in uno stato di incanto, credo proprio in un luogo di favola. Non so dove rimandarti per una descrizione del lago se non alle "Lettere di Lady M. W. Montagu". Il lago è lungo cinquanta miglia, e le stupende e magnifiche montagne che lo incastonano sono disseminate, lungo le loro pendici, di fantastiche ville della nobiltà di Milano; ad esse, poiché non esiste la strada, non c'è modo di accedere se non via acqua. Abbiamo preso un'imbarcazione nell'antica e graziosa città di Como e letteralmente siamo sbarcati nel salotto di villa Tempi. La prima cosa che ho notato sono stati gli alberi di arancio e di limone, carichi di frutti che crescevano in gruppi all'aria aperta; le agavi americane, gli ulivi, le viti ed i gelsi, tutti in fioritura o già con i frutti, ricoprivano i monti sino quasi in sommità. Le fioriture ed i fiori d'arancio, assieme alla profusione di rose e di garofani selvatici, erano quasi troppo inebrianti per i nostri ordinari sensi.

Como: borgo Vico

Il giorno successivo abbiamo effettuato la nostra escursione sul lago attraversando i luoghi più reconditi, più piacevoli, più romantici che possano essere immaginati. Siamo infine sbarcati in tutti i punti interessanti e classici – ad esempio, alla fonte di Plinio, il luogo della sua villa. Dopo un tragitto di venticinque miglia, abbiamo poi raggiunto la "mia villa" Sommariva, che abbiamo scoperto essere un palazzo stupendo, tutto marmo, circondato da aranceti, ma così vasto, così solitario, così imponente e così distante da ogni assistenza medica, che rinunciai all'idea di occuparlo. Ce ne siamo andati così in barca per visitare altre ville. Alla fine abbiamo ormeggiato la nostra imbarcazione in una locanda carina sul lago, dove siamo stati seduti sino a metà serata guardando l'arrivo delle barche ed ascoltando i canti dei barcaioli. Siamo ritornati il giorno successivo e, dopo nuovi viaggi, abbiamo scoperto una magnifica piccola villa sul lago, a dieci minuti di remo da Como. L'abbiamo presa per due mesi, a sei sterline al mese. Villa Fontana [Villa Volontè a borgo Vico] consiste in due padiglioni - così sono qui chiamati - ossia piccole abitazioni a due piani, separate da un giardino. In uno risiedono il "Signore" e la "Signora" che ci ospitano, con una famiglia affascinante; nell'altro soggiornano il Signore e la Signora Morgan, con un valletto di camera italiano.

Questi padiglioni rivolti verso il lago poggiano su un piccolo terrapieno; le viti ed i grappoli fanno da festone fra albero ed albero e si intrecciano in un pergolato. Il lago si allarga di fronte a noi con tutte le sue bellezze di monti ed insenature. Alla destra si trova la città di Como, con la sua cattedrale gotica. Immediatamente dietro di noi, ovunque si innalzano montagne che separano la Svizzera italiana dalla Lombardia; sono rivestite di vigneti, ulivi e tigli, ed il tutto è illuminato da un sole brillante, sotto la volta di cieli luminosi, azzurri e senza nubi. Abbiamo già fatto alcune escursioni su questi monti incantevoli, che sono come giardini coltivati che si innalzano al cielo ed abbiamo camminato sino ad un miglio dalla frontiera Svizzera. Usiamo un'imbarcazione appartenente alla villa ormeggiata presso il giardino, su cui saltiamo e ce ne andiamo remando. Ma di tutte le cose piacevoli, immagina la gran quantità di pesci che pazzamente risale, la sera, sino alla superficie del lago ed immagina Morgan, che non aspirava a farne abboccare se non uno sulle rive del Liffey, che qui pesca a dozzine le vittime della sua abilità! La nostra villa consiste in sette belle camere al piano superiore e in quattro all'interiore. I pavimenti sono di pietra e vengono spruzzati di acqua due o tre volte al giorno, le parete dipinte ad affresco, "gelosie" verdi e tendaggi di mussola; nonostante tutte queste precauzioni per tener fresco, il caldo ci obbliga a star seduti immobili tutto il giorno. C'è solo una circostanza che mi trattiene dal dividere con te il nostro diletto ed è una piccola questione di tuoni e lampi che si ripresenta ogni due o tre giorni e che talvolta è troppo vicina e troppo forte per i nervi di alcuni miei amici. Proprio ora essa sta scuotendo la nostra abitazione e la pioggia sta cadendo come se Cox di Kilkenny facesse ancora ritorno. Se, quando saremo tornati, non farò "sibilare nei vostri cuori le serpi dell'invidia" con la mia chitarra spagnola, non rivolgetemi più la parola! Anche Morgan sta facendo grandi progressi con la chitarra. Penso che ti divertiresti se ti racconto la vita che qui conduciamo. Ci alziamo di buon'ora e, poiché la nostra residenza è di un'afa soffocante, solleviamo le tende (le imposte non sono mai chiuse) ed il paradiso si apre di fronte a noi con un sole ed un cielo che tu non ti sei mai sognata, con tutto il tuo sapere. Facciamo colazione sotto il nostro pergolato d'uva, con la tavola ricolma di pesche e pesche nettarine, mentre i pesci cacciano letteralmente la testa fuori dall'acqua quando gli si dà del cibo e questo nonostante Morgan ne prenda centinaia a tradimento. A meno che tu non l'abbia visto con una leggera tunica gialla ed un cappello di paglia, qui sul lago di Como, tu non hai idea di come sia la felicità umana! Per molto tempo stiamo rinchiusi nei nostri rispettivi studioli, nei quali la luce penetra scarsa, a causa dell'intollerabile calura che ci obbliga a rimanere al coperto durante la parte centrale del giorno, quando le case ed i villaggi appaiono come disabitati. Alle due pranziamo, alle cinque prendiamo il tè, poi siamo fuori sulle montagne e spesso non siamo di ritorno sino a notte, oppure siamo sul lago. In entrambi i casi ci sono scenari che nessuna matita potrebbe rappresentare e che nessuna penna potrebbe descrivere. Le montagne con le loro valli e forre sono ricoperte di alberi di fico, castagni, uliveti e di amabili vigneti che hanno forma di festoni e pergolati, con tutto un altro aspetto rispetto ai bassi vigneti della Francia. Un altro giorno, dopo pranzo, abbiamo camminato sino a quando siamo giunti ad alcune barriere, dove siamo stati fermati da doganieri. Abbiamo chiesto dove fossimo finiti ed abbiamo scoperto di essere in Svizzera. Così, dopo aver camminato attraverso un bel villaggio svizzero ed aver ammirato un'insegna dal nome "Guglielmo Tell", siamo tornati indietro in Italia per il tè…

Morgan Lady Sidney, *Memorie*, 1819

Quel ramo del lago di Como, che volge a mezzogiorno, tra due catene non interrotte di monti, tutto a seni e a golfi, a seconda dello sporgere e del rientrare di quelli, vien, quasi a un tratto, a ristringersi, e a prender corso e figura di fiume, tra un promontorio a destra, e un'ampia costiera dall'altra parte; e il ponte, che ivi congiunge le due rive, par che renda ancor più sensibile all'occhio questa trasformazione, e segni il punto in cui il lago cessa, e l'Adda rincomincia, per ripigliar poi nome di lago dove le rive, allontanandosi di nuovo, lascian l'acqua distendersi e rallentarsi in nuovi golfi e in nuovi seni. La costiera, formata dal deposito di tre grossi torrenti, scende appoggiata a due monti contigui, l'uno detto di san Martino, l'altro, con voce lombarda, il "Resegone", dai molti suoi cocuzzoli in fila, che in vero lo fanno somigliare a una sega: talché non è chi, al primo vederlo, purché sia di fronte, come per esempio di su le mura di Milano che guardano a settentrione, non lo discerna tosto, a un tal contrassegno, in quella lunga e vasta giogaia, dagli altri monti di nome più oscuro e di forma più comune. Per un buon pezzo, la costa sale con un pendìo lento e continuo; poi si rompe in poggi e in valloncelli, in erte e in ispianate, secondo l'ossatura de' due monti, e il lavoro

dell'acque. Il lembo estremo, tagliato dalle foci de' torrenti, è quasi tutto ghiaia e ciottoloni; il resto, campi e vigne, sparse di terre, di ville, di casali; in qualche parte boschi, che si prolungano su per la montagna. Lecco, la principale di quelle terre, e che dà nome al territorio, giace poco discosto dal ponte, alla riva del lago, anzi viene in parte a trovarsi nel lago stesso, quando questo ingrossa: un gran borgo al giorno d'oggi, e che s'incammina a diventar città. Ai tempi in cui accaddero i fatti che prendiamo a raccontare, quel borgo, già considerabile, era anche un castello, e aveva perciò l'onore d'alloggiare un comandante, e il vantaggio di possedere una stabile guarnigione di soldati spagnoli, che insegnavan la modestia alle fanciulle e alle donne del paese, accarezzavan di tempo in tempo le spalle a qualche marito, a qualche padre; e, sul finir dell'estate, non mancavan mai di spandersi nelle vigne, per diradar l'uve, e alleggerire a' contadini le fatiche della vendemmia. Dall'una all'altra di quelle terre, dall'alture alla riva, da un poggio all'altro, correvano, e corrono tuttavia, strade e stradette, più o men ripide, o piane; ogni tanto affondate, sepolte tra due muri, donde, alzando lo sguardo, non iscoprite che un pezzo di cielo e qualche vetta di monte; ogni tanto elevate su terrapieni aperti: e da qui la vista spazia per prospetti più o meno estesi, ma ricchi sempre e sempre qualcosa nuovi, secondo che i diversi punti piglian più o meno della vasta scena circostante, e secondo che questa o quella parte campeggia o si scorcia, spunta o sparisce a vicenda. Dove un pezzo, dove un altro, dove una lunga distesa di quel vasto e variato specchio dell'acqua; di qua lago, chiuso all'estremità o piuttosto smarrito in un gruppo, in un andirivieni di montagne, e di mano in mano più allargato tra altri monti che si spiegano, a uno a uno, allo sguardo, e che l'acqua riflette capovolti, co' paesetti posti sulle rive; di là braccio di fiume, poi lago, poi fiume ancora, che va a perdersi in lucido serpeggiamento pur tra' monti che l'accompagnano, degradando via via, e perdendosi quasi anch'essi nell'orizzonte. Il luogo stesso da dove contemplate que' vari spettacoli, vi fa spettacolo da ogni parte: il monte di cui passeggiate le falde, vi svolge, al di sopra, d'intorno, le sue cime e le balze, distinte, rilevate, mutabili quasi a ogni passo, aprendosi e contornandosi in gioghi ciò che v'era sembrato prima un sol giogo, e comparendo in vetta ciò che poco innanzi vi si rappresentava sulla costa: e l'ameno, il domestico di quelle falde tempera gradevolmente il selvaggio, e orna vie più il magnifico dell'altre vedute. (…)

Lecco

Il castello dell'innominato era a cavaliere a una valle angusta e uggiosa, sulla cima d'un poggio che sporge in fuori da un'aspra giogaia di monti, ed è, non si saprebbe dir bene, se congiunto ad essa o separatone, da un mucchio di massi e di dirupi, e da un andirivieni di tane e di precipizi, che si prolungano anche dalle due parti. Quella che guarda la valle è la sola praticabile; un pendìo piuttosto erto, ma uguale e continuato; a prati in alto; nelle falde a campi, sparsi qua e là di casucce. Il fondo è un letto di ciottoloni, dove scorre un rigagnolo o torrentaccio, secondo la stagione: allora serviva di confine ai due stati. I gioghi opposti, che formano, per dir così, l'altra parete della valle, hanno anch'essi, un po' di falda coltivata; il resto è schegge e macigni, erte ripide, senza strada e nude, meno qualche cespuglio ne' fessi e sui ciglioni.

Dall'alto del castellaccio, come l'aquila dal suo nido insanguinato, il selvaggio signore dominava all'intorno tutto lo spazio dove piede d'uomo potesse posarsi, e non vedeva mai nessuno al di sopra di sè, né più in alto. Dando un'occhiata in giro, scorreva tutto quel recinto, i pendìi, il fondo, le strade praticate là dentro. Quella che, a gomiti e a giravolte, saliva al terribile domicilio, si spiegava davanti a chi guardasse di lassù, come un nastro serpeggiante: dalle finestre, dalle feritoie, poteva il signore contare a suo bell'agio i passi di chi veniva, e spianargli l'arme contro, cento volte. E anche d'una grossa compagnia, avrebbe potuto, con quella guarnigione di bravi che teneva lassù, stenderne sul sentiero, o farne ruzzolare al fondo parecchi, prima che uno arrivasse a toccar la cima. Del resto,

non che lassù, ma neppure nella valle, e neppur di passaggio, non ardiva metter piede nessuno che non fosse ben visto dal padrone del castello. Il birro poi che vi si fosse lasciato vedere, sarebbe stato trattato come una spia nemica che venga colta in un accampamento. Si raccontavano le storie tragiche degli ultimi che avevano voluto tentar l'impresa; ma eran già storie antiche; e nessuno de' giovani si rammentava d'aver veduto nella valle uno di quella razza, né vivo, né morto.

Alessandro Manzoni, *I Promessi Sposi*, 1827

La contessa si mise a rivedere, assieme a Fabrizio, tutti quei luoghi incantevoli nelle vicinanze di Grianta, così celebrati dai viaggiatori: la villa Melzi, sull'altra sponda del lago, di fronte al castello, che gli serve da punto di riferimento; sopra, il bosco sacro della *Sfondrata*, e l'ardito promontorio che separa i due rami del lago, quello di Como, così voluttuoso, e quello che corre verso Lecco, pieno di severità: aspetti sublimi e leggiadri che il luogo più rinomato al mondo, il golfo di Napoli, eguaglia ma non certamente supera. Era con rapimento che la contessa ritrovava i ricordi della sua prima giovinezza e li paragonava con il suo sentire attuale.
«Il lago di Como», ella pensava, «non è circondato, come il lago di Ginevra, da grandi appezzamenti di terreno ben recintati e coltivati secondo i migliori metodi, cosa che ricorda il denaro e la speculazione. Qui, da ogni parte, vedo colline di altezza ineguale ricoperte da macchie d'alberi disseminati dal caso e che la mano dell'uomo non ha ancora guastato ed obbligato a *mettere a rendita*. In mezzo a queste colline dalle forme così ammirevoli che si precipitano nel lago con pendii così singolari, posso serbare tutte le illusioni delle descrizioni del Tasso e dell'Ariosto». Tutto è nobile e tenero, tutto parla d'amore, nulla ricorda le brutture della civiltà. I villaggi posti a mezza costa sono celati da grandi alberi e al disopra delle cime s'innalza l'incantevole architettura dei loro bei campanili. Se qualche piccolo campo, largo cinquanta passi, viene ogni tanto ad interrompere le macchie di castagni e di ciliegi selvatici, l'occhio soddisfatto vede là crescere piante più vigorose e più felici che altrove.

Oltre quelle colline, le cui sommità possiedono eremi dove tutti vorrebbero abitare, l'occhio attonito scorge le vette delle Alpi perennemente coperte di neve e la loro severa austerità gli ricorda quel tanto di infelicità della vita che occorre per accrescere la gioia del presente. L'immaginazione è toccata dal suono lontano della campana di qualche piccolo villaggio celato sotto agli alberi; questo suono, portato sulle acque e da esse addolcito, assume un carattere di tenera melanconia e di rassegnazione, e sembra dire all'uomo: «la vita fugge, non far dunque il difficile quando ti si presenta la felicità, affrettati a gioire». Il linguaggio di questi luoghi incantevoli, senza pari al mondo, restituì alla contessa il suo cuore di sedicenne. Ella non concepiva come avesse potuto trascorrere tanti anni senza rivedere il lago.

(…)

Il caldo soffocante che aveva regnato durante la giornata cominciava ad essere temperato dalla brezza del mattino. Già l'alba disegnava con il suo flebile chiarore le vette delle Alpi che si innalzano a nord e ad oriente del lago di Como. Le loro masse bianche di neve, anche nel mese di giugno, si stagliavano sull'azzurro chiaro di un cielo sempre puro a quelle immense altezze. Il tratto di Alpi che si protende a mezzogiorno verso la felice Italia divide i versanti del lago di Como da quelli del lago di Garda. Fabrizio seguiva con lo sguardo tutte le diramazioni di questa sublimi montagne e l'alba che si schiariva veniva a sottolineare le valli che le separano, illuminando la leggera foschia che s'innalzava dal fondo delle gole.

Dopo qualche istante, Fabrizio s'era rimesso in cammino; passò la collina che forma la penisola di Durini [il dosso del Lavedo, a Lenno] ed infine gli apparve davanti agli occhi il campanile del villaggio di Grianta, dove così frequentemente aveva osservato le stelle con l'abate Blanès.

Stendhal, *La Certosa di Parma,* 1830

Tutti tenean gli occhi rivolti sopra i monti di Tremezzo fra i quali il sole si era pur allora nascosto. Giganteschi nuvoloni spinti a furia dal vento si vedevano svolgersi, avvoltolarsi, trasfigurarsi in cento maniere fantastiche, tinti d'un vivo rosso di fuoco. La luce andava ritraendosi dietro quelle montagne, e si estingueva a poco a poco sulla faccia delle cose, che di momento in momento, cominciando dalle più lontane, e quindi venendo innanzi a gradi, si vedevano impallidire, annebbiarsi, perdere i contorni, pigliar varie figure indistinte, irrequiete, vacillare, dirò così, dinanzi agli occhi, e sfumar via e spegnersi del tutto. Chi guardava il cielo là dove il sole era caduto, lo vedeva ancor rosso, ma abbassando lo sguardo dalle più alte vette giù per la china fino alla riva del lago,

non vi discerneva gli alberi, non vi trovava più le case; i seni, le prominenze erano sparite; tutta la montagna non pareva più che una grande ombra disegnata nel cielo, e quell'ombra stessa veniva sempre confondendosi, dileguandosi, svanendo, e non era più. Le tenebre vennero innanzi a mano a mano sempre più dense, più fitte, e i nostri naufragati furono alfine involti in tanta oscurità che appena si potevano vedere l'uno l'altro. Sul mutabile piano del lago si potevan però anche fra quel buio discernere fino a una certa distanza gl'infuriati cavalloni che sfioccandosi nel giungere alla maggior altezza, biancheggiavano minacciosi, ricadevano gli uni su gli altri incalzandosi a vicenda e venivano a flagellare lo scoglio come se minacciassero d'ingoiarlo, e ridomandassero la preda che era stata loro tolta.

(…)

Il lago era piano, liscio, lucente come uno specchio: di tanto in tanto si vedeva or qua or là balzarne fuori con un guizzo leggiero qualche pesciolino, brillare un istante nell'aria d'una luce d'argento, e ricadendo farsi increspare lievemente in giro, per poco spazio d'intorno, quel piano inerte e levigato.

Il cielo splendeva d'un candido azzurro, l'aria era limpida e molle. Su per gli alti gioghi dei monti, giù per la china sino alle falde estreme che si confondono nell'acqua, si distingueva all'intorno a diversi intervalli ogni tugurio, ogni casa, ogni chiesetta: il verde fresco e rugiadoso delle piante, delle macchie, dei cespugli, veniva acquistando nuovi e più splendidi colori ai primi raggi del sole nascente, nuove ed infinite varietà dai molteplici accidenti della luce, quando spiccata in mezzo a grandi ombre vaporose, quando degradata a poco a poco e morente in misture ineffabili.
Quello spettacolo di letizia e di pace contrastava troppo coll'angoscia, colla tempesta dell'animo del povero barcaiuolo.

Tomaso Grossi, *Marco Visconti,* 1834

AL SIGNOR LOUIS DE RONCAUD

Bellaggio, 20 settembre 1837

Quando scriverete la storia di due amanti felici, ambientatela sulle rive del lago di Como. Non conosco contrade più manifestamente benedette dal cielo; non ho proprio visto un luogo dove gli incanti di una vita d'amore appaiano più naturali. Le regioni alpestri, così grandi, così maestose, lo sono forse troppo per la nostra piccolezza. La loro grandiosità opprime l'uomo più che elevarlo. La permanenza dei ghiacciai gli rammenta troppo la sua precarietà; la purezza immacolata delle nevi eterne è un muto rimprovero alla sua coscienza offuscata; gli ammassi di granito sospesi sul suo capo, il verde cupo degli abeti, il clima rude, il terrore delle valanghe, la voce ininterrotta che risuona dal fondo degli abissi, sono gli austeri simboli di un destino che si compie, sempre minacciato dall'ombra di una fatalità ineluttabile. Ma qui, sotto un cielo azzurro, in una dolce atmosfera, il cuore si dilata ed i sensi si aprono a tutte le gioie dell'essere. I monti, accessibili da ovunque, ci richiamano sulle loro verdeggianti sommità; una ricca coltura ha fecondato i loro versanti; i castagni, i gelsi, gli ulivi, il mais e le vigne promettono abbondanza. La freschezza delle acque tempera gli effetti del sole ardente; alle splendide giornate seguono notti voluttuose. L'uomo respira liberamente in grembo a questa natura amica; l'armonia dei suoi rapporti con essa non è affatto turbata dalle proporzioni gigantesche; egli può amare, può dimenticare e gioire, perché egli appare prender parte alla felicità universale. Sí, mio amico, se voi vedrete transitare nei vostri sogni la forma ideale di una di quelle donne la cui beltà, di origine celeste, non è affatto di insidia per i vostri sensi, ma una rivelazione per l'anima; se accanto a lei vi apparirà un giovane dal cuore onesto e sincero, immaginate tra loro una toccante storia d'amore ed iniziatela con queste parole: "sulle rive del lago di Como".

Franz Liszt, *Lettera,* 1837

N el porto di Como (che non è affatto un porto, ed è questo che lo rende affascinante), piccole barche con archi di legno per sostenere la tenda, come se ne vedono nei *souvenir*; ecco una cosa proprio italiana, trasandata e colorata, non so se le gondole di Venezia siano più belle. Amo la vista di queste brutte barche più di quella dei più bei vascelli di linea del mondo. L'insieme del lago è dolce, amoroso, italiano. Primi piani scoscesi, colori caldi delle case; orizzonte di neve e tutto contornato da abitazioni splendide, fatte per lo studio e per l'amore - villa Taglioni, villa Pasta sulla riva sinistra del lago a partire da Como. Villa Sommariva [Carlotta]; gradinata di pietra che scende sin dentro l'acqua per l'imbarco sulla gondola, grandi alberi, rose che passano sopra una fontana. L' *Amore e Psiche*, di Canova: non ho guardato null'altro della galleria d'arte; vi sono ritornato più volte e l'ultima ho abbracciato

sotto l'ascella la donna svenuta che tende verso Amore le sue lunghe braccia di marmo. Ed il piede! E la testa! Ed il profilo! Mi si perdoni, quello è stato, da tanto tempo, il mio solo bacio sensuale; è stato un qualche cosa ancora di più, abbracciavo la bellezza stessa, era al genio che consacravo il mio ardente entusiasmo. Mi sono gettato sulla forma, senza quasi pensare a quello che essa dicesse. Definitemela voi, autori di estetica, classificatela, etichettatela, asciugate bene il vetro dei vostri occhiali, e ditemi perché tutto ciò mi incanta.

Como

Nell'altro lato del lago, dopo essere salito su una scalinata rettilinea con ampi gradini, un palazzo nero e bianco: è la villa del generale Serbelloni.

Vista dei tre laghi. Si vorrebbe qui vivere e qui morire. Spettacolo fatto proprio per il piacere degli occhi: grandi alberi, cresciuti in fondo ai precipizi, vi giungono quasi sotto le mani, un orizzonte bordato di neve con primi piani affascinanti oppure vigorosi; paesaggio shakespeariano, tutti i sentimenti della natura vi si trovano riuniti, ed il grandioso predomina. Piante grasse, arbusti di varie specie. Grotte da dove si vedono due panorami diversi incorniciati nel verde. Battelli a vapore…

Gustave Flaubert, *Viaggio in Italia,* 1845

Ampia, maestosa, bellissima è quella parte superiore del lago di Como che bagna da un lato le fertili e verdeggianti montagne delle Tre Pievi, dalla turrita punta di Rezzonico fino alla riva di Domaso e al passo d'Adda; e, dall'altro, s'apre a formare, tra due scogliosi dossi, il laghetto di Piona, dietro a cui sorgono giganteschi i gioghi del Legnone e le alture mano mano digradanti della Valtellina. Quando il cielo è puro e spunta uno splendido sole d'estate, che prima vedi illuminar le cime ineguali, poi salutare giù giù per i pendii i casolari biancheggianti, le votive chiesuole e le borgate ricche e liete che siedono sulla riviera; quando la vasta superficie del lago, ripetendo come in uno specchio le montagne e gli abitati e le nubi lontane e il cielo, raddoppia, per così dire, la bellezza delle cose create che ti circondano; l'occhio è rapito da tanta armonia di luce e d'ombre, da quella maravigliosa vicenda di splendori che si succedono; e il cuore s'allarga, e solleva al Creatore della vita le voci segrete della speranza; poiché la speranza dell'uomo, per vivere, ha bisogno di quella immensa gloria de' cieli che stanno sopra di noi.

Ma quella medesima vista che ti riempie del suo inenarrabile incanto, non di rado, in brev'ora, quasi per subitano obblio della Provvidenza, si muta nel doloroso spettacolo della natura commossa e morente: le poche nubi sparse sull'erte più vicine s'addensano, s'aggruppano minacciose, ogni luce si perde e la bufera comincia; gli opposti venti fanno guerra sull'onda che s'arriccia spumosa, e un senso profondo di terrore e di morte sembra gravare uomini e cose. Allora tutto ciò che prima faceva così grande e così sublime l'aspetto di quella terra e di quel cielo non fa che accrescere l'imponente e terribile verità della nuova scena che ti sta dinanzi.

Da una sola nuvola, talora da un fiocco di trasparente vapore che adombri, come bigio cappuccio, la nuda cresta del Legnone, que' del paese, nel durar della state, sapranno dirti se in quel dì sia per rompere sul lago il mal tempo; e il presagio non fallirà, dove appena, a rincontro di quel nuvoletto tu ne scorga un altro anche più lieve, sulle opposte spalle de' monti di Dongo. Quest'abitudine, questa certezza di conoscere la parte di cielo che li ricopre, di predire il mutar dei venti e la instabile vicenda della stagione, dona a chi nacque sul lago la confidenza e l'ardimento a disfidarne i pericoli, sovente non preveduti e subitani. Non è raro che tu miri staccarsi dalle sponde un navicello, appunto nell'ora che calano le nubi, annunziatrici del gagliardo "tivàno"; se mai l'uragano incalza e minaccia, lo vedi abbassar la vela, e racquistar terra in poco d'ora.

Giulio Carcano, Il sasso di Piona, 1850 ca

La rada del lago si presenta tempestata di barche, di barchette, di lance, di gondole tutte parate a festa e dipinte a svariati colori. Per le vie, fiancheggiate da ricchi magazzini, si affollano gli uomini d'affari ed i curiosi, e qui brigate di robusti e franchi alpigiani, là decenti comitive cittadine: fra le baracche dei merciajuoli, fra i colli del cotone ed i sacchi dei cereali, si aggirano spesso i mercatanti ed i mediatori: i calessi cedono il posto alle sontuose carrozze; i pedestri ai cavalieri, e le logge degli alberghi e le soglie dei caffè sono gremite di eleganti cittadine che il bel mondo villeggiante invia a Lecco a contemplarvi questa maniera di operosità, questo movimento insolito affatto fuori delle mura della nostra metropoli.

Andrea Apostolo, Lecco e il suo territorio, 1855

I laghi italiani in parte condividono le caratteristiche generali che, come già menzionato, possiedono le valli del versante meridionale delle Alpi; ma essi sono anche caratterizzati da alcuni aspetti che sono peculiari solo a loro. Le coste sono quasi ovunque formate da ripidi monti che precipitano subitamente nell'acqua, senza che vi sia alcun prato o terreno pianeggiante a bordo lago. Questi monti sono generalmente di grande altezza e dalle forme assai frastagliate; ma essi sono rivestiti sino alla sommità da boschi lussureggianti, tranne che in quei luoghi dove l'asperità dei dirupi impedisce la crescita della vegetazione. La continua presenza di fronti a precipizio che esse mostrano, potrebbe portare a credere che le rive dei laghi siano disabitate, se non fosse per la quantità di villaggi di cui sono ovunque punteggiate. Questi villaggi sono così numerosi ed estesi, che si potrebbe dubitare che in Europa esista una densità di popolazione superiore a quella delle coste dei laghi italiani. Nessuno spettacolo della natura può essere più bello di questi paesetti con abitazioni tutte solo di pietra ed imbiancate nel modo più lindo; un semplice campanile si innalza dal centro di ognuno, per sottolineare il numero e la devozione degli abitanti. Essi sono circondati da boschi lussureggianti, e posti l'uno sull'altro, sino alle pendici più alte delle montagne. Frequentemente il villaggio è nascosto dalla presenza di qualche altura o dall'altezza dei boschi vicini; ma la chiesa è sempre visibile e comunica un'idea vivissima di pace e felicità dei suoi abitanti. Questi templi rurali sono di un bianco uniforme ed i loro campanili sono della forma più semplice; ma è difficile comunicare, a coloro che non li hanno visti, l'idea del mirabile apporto che essi danno alla bellezza del paesaggio.

Man mano che ci si avvicina, la situazione di questi villaggi, così profusamente distribuiti sui monti che circondano i laghi italiani, è spesso estremamente interessante. Posti sulla sommità di rocce dirupate, oppure celati nelle gole di valli appartate, essi mostrano un'inimmaginabile quantità di aspetti; ma, ovunque essi siano situati, aggiungono interesse o migliorano l'effetto pittoresco del paesaggio. I boschi che li circondano, oppure che distano un poco da loro, appaiono come una foresta ininterrotta; in realtà sono formati, per la maggior parte, da alberi di noce e da castagni che crescono nei terreni che appartengono ai contadini e che celano, sotto la loro ombra, vigneti, campi di grano e frutteti. (…)

Ossuccio

C'è una piacevole circostanza che si verifica durante la primavera in prossimità di questi laghi, alla quale un viaggiatore del nord è assai poco avvezzo. Duranti i mesi di Aprile e Maggio, i boschi sono colmi di usignoli e migliaia di questi piccoli cantori ogni sera diffondono le loro note con una ricchezza ed una melodia difficilmente immaginabili. Noi, in Inghilterra, siamo abituati ad ascoltare frequentemente l'usignolo ed il suo canto è stato in poesia celebrato sin dal principio della nostra storia. Generalmente quello che ascoltiamo è però un singolo canto, o tutt'al più quello di pochi, che si uniscono per animare il silenzio della notte. Ma, sulle rive del lago di Como, si trovano in ogni bosco migliaia di usignoli; si posano su ogni albero e danno libero sfogo alla loro melodia dal tetto di ogni casa di campagna. Ovunque tu cammini, durante le deliziose serate di Aprile e Maggio, potrai ascoltare le incessanti melodie di questi uccelli canori a te nascosti, che crescono portate dalle brezze della notte, o che svaniscono quando ci si allontana dai boschi e boschetti dove essi dimorano. Le dolci cadenze e il melodioso crescendo di questi cori celestiali assomigliano più agli incantevoli suoni delle arpe Eoliane che a qualsiasi altra cosa prodotta da strumenti mortali. Per coloro che hanno visto il lago di Como con questo accompagnamento, durante la serenità di una notte estiva, con i promontori ed i monti circostanti che si riflettono nelle sue placide acque, ci sono ben pochi spettacoli della natura e pochi momenti nella vita che possono essere fonte di un così piacevole ricordo.

Archibald Alison, *Saggi vari*, 1860

S aliamo in carrozza; lo sguardo vaga sui colli alberati che si susseguono lungo la strada che conduce alle antiche porte di Como. Gli alberghi sono situati davanti al porto e dalle finestre si vede la grande distesa d'acqua azzurrina che si immerge nell'oro della sera. Una palizzata protegge le imbarcazioni e la crescente oscurità avvolge di foschia le onde scintillanti. È scesa la notte; nelle tenebre diffuse le montagne formano un cerchio ancor più buio attorno al lago; un fanale ed alcune luci distanti vacillano qua e là come stelle superstiti; la frescura delle acque viene portata da una leggera brezza; il porto e la piazza sono vuoti e ci si sente protetti e rassicurati da un grande silenzio.

Al mattino si prende un battello a vapore che fa il giro del lago e, per l'intera giornata, senza fatica, senza pensieri, si nuota in una conca di luce. Le rive sono cosparse di bianchi villaggi che quasi immergono i loro piedi nell' acqua; le montagne digradano dolcemente e le loro pendici sono abitate sino a mezza costa. Pallidi ulivi e gelsi dalla chioma circolare si incolonnano sulle sommità dei colli e le case di vacanza, incorniciate da un bel fogliame, prolungano i loro terrazzamenti sin giù alla riva. Verso Bellagio, mirti, limoni e aiuole formano *bouquet* bianchi o porporini tra i due azzurri rami del lago. Spingendosi verso nord, il panorama diviene grandioso e severo e le montagne si fanno più alte e brulle.

Le ripide formazioni rocciose, le creste frastagliate bianche di neve, i lunghi crepacci dove giacciono antichi strati di ghiaccio, paiono lavorare a sbalzo oppure incidere, nel loro accavallarsi, l'uniforme volta del cielo. Parecchie alte cime sembrano bastioni disposti in circolo. Il lago era anticamente un ghiacciaio, lo scorrimento dei suoi fianchi ha lentamente abraso ed arrotondato i declivi. In queste gole inospitali non c'è verzura o traccia di vita; si cessa di sentirsi su un pianeta abitato; ci si trova in un mondo minerale che precede la presenza umana, su un pianeta spoglio con la sola presenza dell'aria, delle pietre e dell'acqua: una grande massa d'acqua, figlia delle nevi eterne. Intorno ad essa, un assembramento di severe montagne che immergono i loro piedi nel suo azzurro; più oltre, una seconda catena di vette nevose, ancor più selvagge e primitive, come una cerchia più elevata di divinità gigantesche, tutte immobili e tuttavia diverse, espressive e varie come le fisionomie umane, ma avvolte in un caldo colore reso vellutato dall'umidità dell'aria e dalla distanza, serene nel godimento della loro magnifica eternità.

Il vento era cessato e la grande lampada del cielo, sopra l'orizzonte chiuso, fiammeggiava con tutta la sua forza. Il blu del lago divenne più scuro; intorno al battello, ondulazioni di velluto alternativamente si rigonfiavano e abbassavano; nelle incurvature dell'acqua, in mezzo a nastri azzurrini, il sole stendeva altri nastri ondeggianti, come gialla seta cosparsa di lustrini fatti di scintille.

Hippolyte Taine, *Viaggio in Italia*, 1866

Dopo cena, incontriamo alla porta dell'hotel un architetto inglese di nostra conoscenza, assieme prendiamo una barca per una gita sul lago al chiaro di luna e ce ne andiamo navigando sulle acque placide, in un'aria che bagna come rugiada i nostri sensi infuocati. Quanto lontana è ormai Milano! Sul lago si specchia la luna, ma le colline sono avvolte da misteriose ombre che, per il momento, sono reali quanto le colline stesse. Abitazioni si intravedono apparire nella sfavillante luce lungo la riva del lago, e noi immaginiamo una lampada di alabastro ad ogni finestra, e in ogni casa intravista una villa come quella che Claudio Melnotte descrisse a Paolina [in un'opera teatrale di E. Bulwer-Lytton]… Ovunque in Italia brandelli di sentimentalismo ondeggiano da ogni vetta, da ogni albero di ulivo e di arancio - come quelle ghirlande di carta appassita che i rozzi turisti connazionali abbandonano presso i nostri monti e fiumi, per celebrare la loro ammirazione per il paesaggio.

La città di Como si distende dietro di noi, in un brulicare di luci; i colli e le ombre intorno si fanno più scuri; il lago è una tremula superficie d'argento. Non ci sono parole per raccontare come ritornammo all' hotel, o con quale animo soddisfatto lì ci addormentammo nelle nostre camere. Il battello a vapore per il sommo lago parte alle otto di mattina, e noi vi saliamo a bordo a quell'ora.

C'è una qualche possibilità di riparo dal sole sotto la tenda che ricopre la parte posteriore del battello; ma non ne sentiamo la necessità nella fresca aria mattutina e così andiamo il più possibile vicino alla prua, per essere proprio i primi a godere della famosa bellezza del panorama che si apre di fronte a noi. Alcune vele punteggiano l'acqua ed ovunque ci sono piccole barche a remi ricoperte da un tettuccio, come quella che abbiamo piacevolmente usato la scorsa notte. Raggiungiamo una svolta del lago, e tutti i tetti e le torri della città di Como scompaiono dalla vista, come in teatro scompare uno scenario di architetture dipinte, dopo esser stato spostato. Ma, ad ogni svolta in questo lago tutto a curve, altri tetti e torri si succedono costantemente, non meno piacevoli e pittoreschi dei primi. Avanziamo su affascinanti distese d'acqua adagiate tra alti colli e, quando il lago si fa stretto, il viaggio è come in un fiume sinuoso - proprio come in quello dell'Ohio, tranne che per l'aspetto selvaggio e primordiale dei rilievi che sovrastano il nostro fiume del West, e per la sua corrente bruna. Sul lago di Como, dove i colli

Colico

non scendono a picco nelle acque, un bel villaggio si adagia ai loro piedi e, quando non è un villaggio, allora è una villa od una casetta, se non c'è spazio per nulla di più. Molti paesini si abbarbicano a mezz'altezza e, dove i colli sono verdeggianti e coltivati con vigneti ed uliveti, le case dei contadini si spingono sino in sommità. I rilievi sono sempre più scoscesi quanto più lasciamo lontano il nostro punto di partenza e, mentre ci avviciniamo a Colico, essi sono ammantati da leggere corone di nuvole e di neve. Durante tutto il viaggio tra i colli ci è giunta una brezza così fresca che pensavamo provenisse da essi, sino a quando non ci fermammo a Colico e scoprimmo che, se non fosse stato per lo sforzo del nostro buon motore a vapore che faticava e si affannava nell'oscurità, non avremmo sentito alcuna corrente d'aria.

William Dean Howells, *Viaggi italiani,* 1867

Siamo passati attraverso una catena di selvaggi e pittoreschi colli, ripidi, boscosi, di forma conica, con dirupi accidentati che si protendevano qua e là, su cui stavano appollaiati solitari casolari e castelli in rovina, rivolti verso ammassi di nuvole. Abbiamo pranzato nella caratteristica antica città di Como, all'inizio del lago, e poi abbiamo preso un piccolo battello per una piacevole escursione pomeridiana sino a questo luogo, Bellagio. (…)

Il nostro albergo è situato a bordo lago o, almeno, lo è il fronte del giardino. Abbiamo fatto una passeggiata tra gli arbusti ed al tramonto ci siamo fatti una fumata; abbiamo poi guardato lontano, verso la Svizzera e le Alpi, con un indolente desiderio di non voler guardare più vicino; siamo discesi lungo una scaletta per una nuotata nel lago; abbiamo infine preso una graziosa barchetta per veleggiare intorno, tra i riflessi delle stelle; ci distendevamo sui sedili, ascoltando distanti risate, canti, dolci melodie di flauti e chitarre che provenivano, trasportate sulle acque, da gitanti in gondola. Abbiamo finito la serata con esasperate partite a bigliardo su uno dei soliti esecrabili vecchi tavoli. A mezzanotte, cena nella nostra ampia camera da letto; fumata finale nella sua stretta veranda di fronte al lago, ai giardini ed alle montagne; riassunto degli avvenimenti del giorno. Poi a letto, con i cervelli assonnati turbati da una folle visione che confonde immagini di Francia, Italia, la nave, l'oceano, il proprio paese, in un disordine grottesco e stupefacente. Poi il dissolversi dei volti familiari, delle città e delle acque agitate in una grande calma di oblio e pace.

Dopo tutto ciò, un incubo notturno.

Colazione alla mattina, e poi il lago.

Ieri non mi era piaciuto. Pensavo che il lago Tahoe fosse "molto" più bello. Ora devo tuttavia confessare come il mio parere fosse alquanto errato, sebbene non proprio stravagante. Ho sempre avuto l'idea che quello di Como fosse un vasto bacino d'acqua, come il Tahoe, racchiuso da alte montagne. Effettivamente, qui ci sono le pendici di grandi monti, ma il lago stesso non è un bacino. È tortuoso come un qualsiasi torrente ed è largo solo da un quarto a due terzi del Mississipi. Non c'è un palmo di terreno pianeggiante su alcuna delle opposte sponte – nulla, se non catene interminabili di montagne che sorgono repentinamente dal bordo delle acque e che si elevano ad altezze che variano dai mille ai duemila piedi. I loro versanti rocciosi sono rivestiti da vegetazione e sono punteggiati dal bianco delle abitazioni che sbucano ovunque da rigogliose fronde; le case sono anche abbarbicate, mille piedi sopra alla tua testa, su slanciate e pittoresche cime.

Bellagio

Ancora, per miglia lungo la costa, belle residenze di campagna circondate da giardini e frutteti, poste graziosamente sulle acque, in alcuni casi entro insenature scolpite dalla Natura in pendii ricoperti da vigne, e non vi si entra o si esce se non in barca. Alcune possiedono grandi scalinate in pietra che portano sin dentro l'acqua, con massicce balaustre impreziosite da statue e fantasiosamente ornate da viti rampicanti e fiori dai vivaci colori - cosicché il tutto sembra il sipario di un palcoscenico, a cui mancano solo dame con vita stretta e tacchi alti e damerini piumati in attillati abiti di seta che scendono a far loro serenate, verso una splendida gondola ormeggiata.

Un'importante caratteristica dell'attrattiva di Como è la gran quantità di belle case e giardini che si raggruppano lungo le coste o sui fianchi delle montagne. Esse appaiono così accoglienti e familiari che al crepuscolo, quando tutto sembra assopirsi e la musica delle campane vespertine arriva inattesa sulle acque, si può quasi credere che da nessun'altra parte, se non sul lago di Como, si possa trovare un tal paradiso di sereno riposo.

Qui, dalla mia finestra di Bellagio, ho ora la visione dell'altra costa del lago, bella come un quadro. Un dirupo inciso e corrugato si innalza ad un'altezza di milleottocento piedi; su una minuscola terrazza a mezz'altezza della sua grande muraglia, quale piccolo fiocco di neve, si appoggia una chiesa, che non pare più grande di un nido d'uccello; costeggiano la base della roccia un centinaio di aranceti e giardini, in cui si intravedono i bianchi sprazzi delle abitazioni incastonate dentro di loro. Di fronte a me, tre o quattro gondole stanno oziose sull'acqua e, nell'infuocato specchio del lago, la montagna, la chiesetta, le case, i frutteti e le barche sono così vivacemente e nitidamente rappresentati che diviene difficile sapere dove finisca la realtà e dove inizino le immagini riflesse!

Affascinanti sono i dintorni di questo quadro. Ad un miglio di distanza, un promontorio ricoperto da boschetti si protende lontano nel lago e rispecchia il suo palazzo nelle azzurre profondità; in mezzo alle acque, un'imbarcazione taglia la superficie scintillante, lasciando dietro una lunga scia, quale raggio di luce; le montagne sullo sfondo sono velate da una trasognata foschia purpurea; lontano, nella direzione opposta, chiude il lago una disordinata quantità di cupole montuose, di pendii verdeggianti e di valli. Qui, invero, la distanza dona incanto alla visione perché, in questo ampio dipinto, il sole, le nuvole e la più smagliante delle atmosfere hanno mescolato migliaia di colori; sopra la superficie del lago scorre un velo di luci e di ombre che, ora dopo ora, glorifica il dipinto con una bellezza che appare il riflesso del Cielo stesso. Senza alcun dubbio, questa è stata la più emozionante visione che io abbia mai avuto.

La scorsa notte lo scenario era straordinario e pittoresco. Dirupi rocciosi, alberi e bianche case della sponda opposta si riflettevano nel lago in maniera splendidamente nitida, ed i fasci luminosi di tante lontane finestre si distendevano sulle acque immobili. Su questa costa, quasi fossero a portata di mano, le grandi residenze rischiarate dalla luna risplendevano in mezzo al folto fogliame, reso scuro ed informe dalle ombre prodotte dalle rupi sovrastanti. Più in basso, sulla riva del lago, ogni particolare di questa magica visione veniva puntualmente riflesso.

Mark Twain, *Gli innocenti all'estero*, 1869

Il Duomo di Como è forse l'edificio più perfetto che esista in Italia poiché incarna la fusione dello stile Gotico e Rinascimentale, entrambi nelle loro espressioni migliori e nella loro più squisita sobrietà. Lo stile Gotico termina nella navata. I nobili transetti e il coro, che conducono a tribune dalla forma arrotondata delle stesse dimensioni, sono in un semplice e decoroso stile bramantesco. I passaggi da uno stile all'altro sono riusciti felicemente ed è stata raggiunta un'armonia tale da non creare alcuna dissonanza. Ciò che chiamiamo Gotico è qui concepito con uno spirito tipico del Sud, senza la complessità efflorescente od immaginifica degli elementi architettonici multipli; mentre lo stile Rinascimentale, utilizzato da Tommaso Rodari, non si è ancora irrigidito nel neo-latinismo inespressivo del tardo Cinquecento, ma è contraddistinto da una delicata inventiva e dalla piacevole subordinazione del dettaglio decorativo all'effetto architettonico. In queste condizioni felici abbiamo la sensazione che lo stile gotico della navata, con la sua superiore severità e la sua solennità, venga a dilatarsi nelle lucide armonie del coro e dei transetti come un fiore che sboccia. Nella prima la mente è condotta verso la meditazione interiore ed il timore religioso, nel secondo il fedele passa attraverso il tempio della fede chiara ed esplicita, come un iniziato neofita che venga introdotto al significato dei misteri. (...)

Como ed il suo distretto decisero di creare un fondo per la costruzione del Duomo. Vennero distribuite cassette in tutte le chiese per raccogliere le offerte di coloro che desideravano dare il loro contributo per l'opera. Il clero chiedeva l'elemosina in Quaresima e nelle giornate importanti predicava di contribuire alla costruzione. Regali come calce e mattoni venivano ricevuti con molto piacere. Vescovi, canonici e magistrati comunali dovevano effettuare consistenti donazioni per ottenere le loro cariche. I notai venivano obbligati, pena il pagamento di un centinaio di soldi nel caso non avessero accettato, a persuadere coloro che facevano testamento, *cum bonis modis dulciter*, a inserire il Duomo all'interno dei loro voleri. Le multe per determinati reati venivano devolute dall'amministrazione della città per la costruzione del Duomo. Ogni nuovo cittadino doveva pagare una somma; le corporazioni e gli appaltatori ottenevano monopoli ed incarichi a caro prezzo. Venne istituita infine una lotteria a beneficio della costruzione. Naturalmente ogni pagamento a favore dell'opera buona prevedeva dei privilegi spirituali; il popolo rispose così caldamente alla chiamata della Chiesa che nel corso del sedicesimo secolo la somma raccolta ammontava a duecentomila corone d'oro. Tra i donatori più magnanimi figura il Marchese Giacomo Gallio, che donò duecentonovantamila lire ed un certo Benzi, che donò diecimila ducati.

John Addington Symonds, *Taccuino dall'Italia e dalla Grecia*, 1874

Presso a Cadenabbia c'è una strada, che s'arrampica fra verdi pergolati e sotto un cielo azzurro, spesso nascondendo il paesaggio, fin che improvvisamente essa riesce all'aperto, e tu puoi a tuo grado contemplare lo spettacolo de' monti, che si specchiano nel lago. La chiamano la "Via del Paradiso", e questa denominazione ci è rimasta impressa nell'animo, perchè non quella via soltanto, ma tutto codesto ameno territorio, che si suol chiamare de' tre laghi, è una strada attraverso un paradiso. Nella nostra peregrinazione abbiamo già incontrato sul nostro cammino molti capolavori usciti

Centro lago • Center lake

dalla mano dell'uomo; ma qui è la natura, che produsse il suo.

Quanto fa bene all'animo lo uscire dalle città romorose e venirsi a rifugiare tra codeste carezzevoli aure del lago; noi scendiamo passeggiando dall'erto paesello alla riva del lago; il contadino che passa col suo asinello, i fanciulli che ci guardano curiosamente dalla finestra, tutto qui ci sorride; perfino il mendicante sul quadrivio s'è addormentato e sogna sogni d'oro.

E che balsamo in quest'aria, come ogni soffio di brezza ci porta la frescura, che ha rubato alle onde, come lo sentiamo da lontano aleggiare nella piccola baia! Il cuore si apre, e ci esce spontaneo dall'anima il grido: Via del Paradiso!

Queste sono le impressioni, che riceve il viaggiatore, il quale percorra a piedi le sponde de' tre laghi; ma anche a quelli, che traggono per la via maestra, il continuo alternare di graziose cittadette e di solitudini campestri offre uno splendido panorama. In nessun altro paese vi hanno delle villeggiature, che meglio congiungano alla classica grandiosità il fascino della quiete campestre, in nessun luogo si dimentica così facilmente il mondo e si può così facilmente ritrovarlo, quando se n'abbia bisogno. Soffermiamoci dapprima al lago di Como, davanti a quel lungo e profondo bacino, che misura oltre a 40 miglia di lunghezza e a metà circa si divide in due braccia divergenti, le quali prendono nome dalle città, che sorgono alla loro più estrema punta, Como e Lecco.

Como, le cui case si bagnano nelle onde del lago, è l'ideale di una piccola città lombarda, colle sue vie strette, colle sue costruzioni raggruppate, le sue memorie medioevali e la sua vita moderna piena di operosità e di moto.

Chi passa per Como diretto al lago non potrebbe, anche volendo, non gettare uno sguardo al Duomo, uno de' più bei monumenti sacri d'Italia, la cui prima pietra fu gettata nel 1396. Il disegno primitivo era condotto in istile gotico-lombardesco; ma nel corso de' lavori, che durarono oltre un secolo, esso venne modificandosi, e l'architetto che ebbe la gloria di ultimarlo, Tomaso Rodari, gli diede una manifesta impronta di Rinascimento.

Presso al Duomo, come in quasi tutte le città italiane, che ebbero nel medio evo vita propria, sorge il Broletto, o palazzo del Comune, che risale al 1215, e che col primo completa in modo mirabile uno dei lati della Piazza, che da esso prende nome. Como possiede anche un elegante Teatro di costruzione moderna, e in una piazza vicina a quella del Duomo eresse un monumento grandioso ad Alessandro Volta, lo scopritore della pila, con questa breviloquente epigrafe: "A Volta la patria". L'opera è di Pompeo Marchesi, scultore accademico del principio del secolo. Tra' suoi concittadini essa annovera anche lo storico Giovio, due papi (Rezzonico e Odescalchi), e nell'evo antico i due Plinii.

Scendiamo ora al porto, la cui piazza venne di recente ampliata e ornata di una grande fontana monumentale condotta in marmo dallo scultore Corti. La vita si concentra specialmente qui, perchè qui fanno capo tutte le barche, che dai paesetti del lago scendono alla città, e di qui si distaccano i piroscafi, che più volte al giorno lo percorrono in tutta la sua lunghezza. All'ora della partenza c'è sempre folla; i viaggiatori arrivano dalla ferrovia, gli oziosi stanno a guardare, i facchini gridano; poi il battello si stacca dalla riva, svolta la larga diga, che da poco tempo protegge il porto contro i venti, che scendono dalle gole settentrionali del lago; e la traversata comincia.

Il panorama del lago non è qui molto ampio; il primo dei tre bacini, nei quali sembra ch'esso sia scompartito, è ristretto, e l'orizzonte non si allarga che più innanzi per aprirsi poi verso la metà della sua lunghezza nell'incantevole prospettiva della Tremezzina, una delle più belle, come abbiamo detto, delle più seducenti, che si possano immaginare. Ma le rive sono popolate di paeselli e di villeggiature; il monte scende ora scosceso, ora in leggere avvallature nell'acqua, la distanza fra le due sponde è sempre brevissima, e di qua e di là l'occhio discopre paesaggi, che mutano a ogni passo, caseggiati, che scendono a lambire l'onda del lago o si nascondono con gentile civetteria tra il fogliame degli alberi, quando non li vedi arrampicarsi sull'erta costa e pendere come sospesi sopra una sporgenza della rupe o adagiarsi in una remota valletta.

Le ville del lago di Como sono celebri; quanto il lusso di una gran città - Milano - ha saputo accumulare da secoli, o il capriccio di un gran signore russo o inglese ha fatto sorgere d'un tratto, si raccoglie su queste sponde; a destra e a sinistra spesseggiano i palazzi, i "chalets", le casine modeste, popolati nella bella stagione da una folla variopinta, elegante, irrequieta, che dà vivacità e brio straordinario a queste sponde già per sè medesime così attraenti, e le rende uno de' soggiorni più deliziosi dell'alta società.

Tosto all'uscire dal porto di Como si scorge a sinistra la villa Raimondi, già Odescalchi, la più vasta del lago, e più innanzi, in una insenatura di esso, la villa d'Este costrutta nel 1500 dal Cardinale Pompeo Gallio, divenuta sul principio del secolo rifugio a Carolina moglie di Giorgio IV d'Inghilterra, che l'aveva ripudiata, ora mutata in albergo. A destra, dopo la villa Taglioni e la villa Pasta, i cui nomi ricordano due celebrità teatrali, che quivi si raccolsero a godere il frutto de' trionfi ottenuti sulle primarie scene d'Europa, incontriamo la Pliniana, proprietà dei marchesi Trotti, il cui nome proviene da una sorgente, che scaturisce lì presso, e di cui Plinio aveva già a' suoi tempi descritto la particolarità di crescere e scemare ogni giorno con una specie di flusso e riflusso, come le acque del mare.

Oltrepassiamo anche il secondo bacino, ed ecco ci si fa innanzi ampio, splendente di luce, circondato da una lussureggiante vegetazione, tutto sorriso, tutto primavera il bacino della Cadenabbia; nel fondo lo Spluga biancheggia di nevi perpetue, il lago sfuma in nebbie vaporose, che si disciolgono presso a Bellagio seduta sull'estrema punta del promontorio, che da destra ricinge il quadro, mentre a sinistra spesseggiano lungo la riva i caseggiati, i palazzi, le ville. E' la Tremezzina, uno spicchio di paradiso caduto in terra, uno degli angoli più ridenti di questa ridente Italia.

Tra gli edificj, che l'occhio distingue nettamente lungo la sponda sinistra, primeggia la villa Carlotta, già Sommariva, ora proprietà del duca di Sassonia-Meiningen, splendida collezione di bellezze naturali e artistiche. Nelle sue sale di marmo si ammirano l'"Amore e Psiche" di Canova e il "Trionfo d'Alessandro" di Thorwaldsen, celebratissimi ambedue; sulla riva destra, la villa Melzi con ampio, lussureggiante giardino e marmi di Canova e d'altri; più su il pittoresco borgo di Bellagio colla sua bella villa Frizzoni, ora ingrandita e trasformata in ricchissimo e amplissimo albergo. Corona il colle la villa Serbelloni, mutata anch'essa in albergo, con vasto parco, dal quale si dominano contemporaneamente i tre bracci del lago e si godono sempre nuovi punti di vista, di cui l'ultimo sembra il più bello. Citiamo anche la villa Giulia, ora appartenente al conte Bloome.

Più innanzi, dove più ampio è lo specchio delle acque, tu vedi sedute l'una rimpetto all'altra due grosse borgate, Menaggio a sinistra, Varenna a destra, e più su Bellano celebre per il suo "Orrido" formato da una cascata della Pioverna che, scendendo dalla Grigna, precipita a 60 metri d'altezza nel lago.

Dopo Bellano le villeggiature e i paeselli diradano, il panorama diventa grigio, come il cielo; siamo nella zona più settentrionale e selvaggia del lago; qualche borgata ci si fa incontro ancora sulla sponda sinistra, indi a poco il piroscafo tocca Colico, ultima terra del lago presso ai canneti dell'Adda, che qui sbocca in esso, dopo il suo rapido corso traverso la Valtellina. Noi retrocediamo.

Weldemar Kaden, *Dalle Alpi all'Etna,* 1876

I o mi rammento ancora della prima gita che feci al Lago di Como, in una giornata soffocante di luglio, dopo una di quelle estati di lavoro e di orizzonti afosi che vi mettono in corpo la smania del verde e dei monti.

La prima torre sgangherata che scorsi in cima alla montagna posta a guardia del lago mi si stampò dinanzi agli occhi come un faro di pace, di riposo, di freschi orizzonti. Il paesaggio era ancora uniforme. Tutt'a un tratto, dalle alture di Gallarate, vi si svolge davanti un panorama che è una festa degli occhi. Allorché vi trovate per la prima volta sul ponte del battello a vapore, rimanete un istante immobile, e colla sorpresa ingenua del piacere stampata in faccia, né più né meno di un contadino che capiti per sorpresa in una sala da ballo. L'ammirazione è ancora d'impressione, vaga e complessiva. Non è lo spettacolo grandioso del Lago Maggiore, né quello un po' teatrale del Lago di Lugano visto dalla Stazione. È qualche cosa di più raccolto e penetrante. Tutto il Lago di Como a prima vista è in quel bacino da Cernobbio a Blevio, e la prima idea netta che vi sorga è di sapere da che parte se n'esca.

A poco a poco comincia a sorgere in voi come un'esuberanza di vita, quasi un'esultanza di sensazioni e di sentimenti, a misura che lo svariato panorama si va svolgendo ai vostri occhi. Sentite che il mondo è bello, e se mai non l'avete avuta, principia a spuntare in voi, come in un bambino, la curiosità di vederlo tutto, così grande e ricco e vario, di là di quelle cime brulle, oltre quei boschi che si arrampicano come un'immensa macchia bruna sui dossi arditi, dopo quei campanili che sorgono da un folto d'alberi, di quelle cascate che biancheggiano un istante nella fenditura di un burrone, di quelle ville posate come un gingillo, su di un cuscino di verdura, che vi creano in mente mille fantasie diverse, e la vostra immaginazione popola di figure leggiadre, dietro le stoie calate ed i vetri scintillanti, in quelle barchette leggiere che battono il remo silenzioso come un'ala, e si dileguano mollemente, con un cinguettio lontano di voci fresche, strascinandosi dietro delle bandiere a colori vivaci. È come un sogno in mezzo a cui passate, e vi sfila dinanzi villa d'Este elegante, Carate civettuolo, Torno severo, e Balbianello superbo. Poi come tutt'a un tratto vi si allarga dinanzi la Tremezzina quasi un riso di bella fanciulla, nell'ora in cui sulla Grigna digradano le ultime sfumature di un tramonto ricco di colori e Bellagio comincia a luccicare di fiammelle, e il ramo di Colico si fa smorto, di là di Varenna, e Lenno e San Giovanni vi mandano le prime squille dell'Avemaria, voi vi chinate sul parapetto a mirare le stelle che ad una ad una principiano a riflettersi sulla tranquilla superficie del lago, e appoggerete la fronte sulla mano sentendovi sorgere in petto del pari ad una ad una tutte le cose care e lontane che ci avete in cuore, e dalle quali non avreste voluto staccarvi mai.

Giovanni Verga, *I dintorni di Milano,* 1881

Giardini delle ville Giulia, Melzi, Sommariva [Carlotta], Serbelloni, sillabe musicali, terrazze profumate e luminose! Ormai è già autunno; una piccola pioggia sottile cade sugli alberi. Su questi pendii dove mi incammino e che racchiudono il lago, c'è un viale che sembra una balconata, panchine ovunque; senza sforzo, senza pensieri, in mezzo ai mirti, agli alberi di limone, alle palme, ci si inebria "sorseggiando lo splendore" di questo paesaggio. Ma a mio parere è l'autunno, più ancora che la flora mediterranea, ciò che rende affascinanti queste rive.

Villa Carlotta

Vecchi alberi che protendono i rami verso la luce s'interpongono tra chi cammina ed il paesaggio. Non si vedono più l'azzurro del lago, le case di vacanza, le macchie di gelsi e di ulivi, se non attraverso una sottile cortina di foglie immobili. Così semivelata dal fogliame che ingiallisce, la natura in questo grande silenzio è più adorabile di ogni opera d'arte, e le donne della *Primavera* del celebre Botticelli, anche loro inghirlandate, non appaiono che poveri piccoli insetti in confronto a questa quiete, a questa gioventù, a questa vera dea che è la Natura dei giardini della Lombardia.

Maurice Barrès, *Sangue, voluttà e morte,* 1893

Girato il promontorio ricinto dall'ampio parco dell'ex villa Serbelloni entriamo nel lago di Lecco che è tutto l'opposto del ramo di Como (come già avevamo osservato): invece di verdeggianti montagne dai morbidi contorni, qui abbiamo rocciose e gigantesche masse, terminate in aspri denti, che sembra vadano a mordere il cielo; invece di amene spiagge fiorite e rallegrate di vezzose ville, ecco rive dirupate e precipitose, rari villaggi nelle posizioni meno selvagge, non più villeggiature e giardini. Nel lago di Lecco contempleremo la natura nella sua schietta ma alpestre manifestazione, godremo la vista di quadri imponenti e maestosi, degni del pennello di un Salvator Rosa.

Edmondo Brusoni, *Guida itinerario-alpina-descrittiva di Lecco,* 1903

Anche per chi ha più d'una volta solcato le acque del Lario, da Como fino a Gera, sua estremità settentrionale, il laghetto di Piona, che ne costituisce una delle gemme più preziose, rimane di solito affatto ignoto.

Esso pare infatti voglia gelosamente nascondere al navigante tutte le sue bellezze, per svolgerle solo nell'entroterra, sopra una lunghezza di quasi due chilometri, in uno specchio d'acqua della superficie d'un chilometro quadrato, che apre sul lago, poco prima di Colico, una bocca di duecento metri all'incirca.

La sua posizione appartata, anzi recondita, vale ad accrescerne i pregi, ma per gustarli fa d'uopo abbandonare le spaziose acque del Lario, che in quel punto s'allarga fino a due chilometri e mezzo, girare il promontorio di Piona, e penetrare fra le interne sue sponde.

Lungo quella di levante si snoda la strada nazionale dello Stelvio, e la ferrovia la insegue fra le stazioni di Dorio e di Piona, aprendosi il varco attraverso le falde del Legnoncino, mediante tre gallerie che si susseguono a breve distanza, all'uscita dalle quali le acque del nostro piccolo lago appaiono e scompaiono rapidamente, sollevando nel viaggiatore un vivo senso di desiderio e di ammirazione.

Il Monte Legnone, la vetta più elevata della nostra Provincia (m. 2622) domina superba a tergo, mentre di fronte, sulla sponda opposta del Lario, bella e maestosa quale regina, si stende la ricca borgata di Gravedona, la gemma dell'antica repubblica delle Tre Pievi, dietro cui s'alzano le cime nevose del Monte Cardinello, del Pizzo Campanile e del Cavregasco, che le fanno degna corona.

Le loro propaggini, solcate dalla profonda valle del Liro, scendono in dolce declivio fino al lago, ricche di campi, prati, giardini ed ortaglie, tutte smaltate di paesi, ville e casolari, che fanno di quella terra una delle plaghe più ridenti della nostra provincia.

Il promontorio di Piona chiude il nostro laghetto a ponente come in un forte abbraccio: all'interno esso si drizza cupo e selvaggio, coperto solo di nere selve, senza una casa né un cascinale che lo ravvivi; all'esterno invece è tutto rivestito di campagne ridenti, ricche di vigne e di oliveti, su cui il caldo bacio del sole fa risplendere la più festosa vegetazione.

All'estremità che scende a bagnarsi nel lago, un pittoresco gruppo di edifici dominato da una torre campanaria richiama la nostra attenzione e c'invita a visitarlo.

È il *"Priorato di S. Nicolò di Piona"*, monumento insigne di religione, antichità ed arte, che domina le terre e le acque che lo circondano, e che ancor oggi, dopo l'esistenza di oltre un millennio, rimane quale testimonio invitto della storia di tanti secoli.

Anonimo, *Il laghetto di Piona,* 1929

Villa Balbianello

Literary Extracts

To Caninius

D o you study? or go a fishing? or ride a hunting? or do all these together? Since our *Larius* gives you an opportunity for 'em all: for this lake affords a plenty of fish; the woods that surround it, game, and that most profound retreat, study. But whether you follow 'em all, or any one thing, I cannot say I envy you: nevertheless 'tis a torment to me that I cannot enjoy those things, for which I long, with as much ardour, as feavourish persons do for wine, or baths, or fountains. Shall I never be able to break, if I cannot dissolve, these intolerable bonds? I think I never shall. For fresh business throng on the back of the old, before these are quite finish'd; and the weight of my affairs is encreas'd upon me every day, like an addition of so many cords and chains. *Farewel.*

Plinius the Younger, *Epistle VIII,* I Cent. A.C.

W ith those delightful pathways we advanced,
For two days' space, in presence of the Lake,
That, stretching far among the Alps, assumed
A character more stern. The second night,
From sleep awakened, and misled by sound
Of the church clock telling the hours with strokes
Whose import then we had not learned, we rose
By moonlight, doubting not that day was nigh,
And that meanwhile, by no uncertain path,
Along the winding margin of the lake,
Led, as before, we should behold the scene,
Hushed in profound repose. We left the town
Of Gravedona with this hope; but soon
Were lost, bewildered among woods immense,
And on a rock sate down, to wait for day.
An open place it was, and overlooked,
From high, the sullen water far beneath,
On which a dull red image of the moon
Lay bedded, changing oftentimes its form
Like an uneasy snake. From hour to hour
We sate and sate, wondering as if the night
Had been ensnared by witchcraft. On the rock
At last we stretched our weary limbs for sleep,
But *could not* sleep, tormented by the stings
Of insects, which with noise like that of noon
Filled all the woods: the cry of unknown birds;
The mountains more by blackness visible
And their own size, than any outward light;
The breathless wilderness of clouds; the clock
That told, with unintelligible voice,
The widely parted hours; the noise of streams,
And sometimes rustling motions nigh at hand,
That did not leave us free from personal fear;
And, lastly, the withdrawing moon, that set
Before us, while she still was high in heaven;—
These were our food; and such a summer's night
Followed that pair of golden days that shed
On Como's Lake, and all that round it lay,
Their fairest, softest, happiest influence.

But here I must break off, and bid farewell
To days, each offering some new sight, or fraught

With some untried adventure, in a course
Prolonged till sprinklings of autumnal snow
Checked our unwearied steps…

William Wordsworth, *The Prelude*, 1799-1805

Milan, April, 1818

My dear Peacock: … We have been to Como, looking for a house. This lake exceeds any thing I ever beheld in beauty, with the exception of the arbutus islands of Killarney. It is long and narrow, and has the appearance of a mighty river winding among the mountains and the forests. We sailed from the town of Como to a tract of country called the Tremezina, and saw the various aspects presented by that part of the lake. The mountains between Como and that village, or rather cluster of villages, are covered on high with chestnut forests (the eating chestnuts, on which the inhabitants of the country subsist in time of scarcity), which sometimes descend to the very verge of the lake, overhanging it with their hoary branches. But usually the immediate border of this shore is composed of laurel-trees, and bay, and myrtle, and wild-fig trees, and olives, which grow in the crevices of the rocks, and overhang the caverns, and shadow the deep glens, which are filled with the flashing light of the waterfalls. Other flowering shrubs, which I cannot name, grow there also. On high, the towers of village churches are seen white among the dark forests. Beyond, on the opposite shore, which faces the south, the mountains descend less precipitously to the lake, and although they are much higher, and some covered with perpetual snow, there intervenes between them and the lake a range of lower hills, which have glens and rifts opening to the other, such as I should fancy the *abysses* of Ida or Parnassus. Here are plantations of olive, and orange, and lemon trees, which are now so loaded with fruit, that there is more fruit than leaves,—and vineyards. This shore of the lake is one continued village, and the Milanese nobility have their villas here. The union of culture and the untameable profusion and loveliness of nature is here so close, that the line where they are divided can hardly be discovered. But the finest scenery is that of the Villa Pliniana; so called from a fountain which ebbs and flows every three hours, described by the younger Pliny, which is in the court-yard. This house, which was once a magnificent palace, and is now half in ruins, we are endeavouring to procure. It is built upon terraces *raised from* the bottom of the lake, together with its garden, at the foot of a semicircular precipice, overshadowed by profound forests of chestnut. The scene from the colonnade is the most extraordinary, at once, and the most lovely that eye ever beheld. On one side is the mountain, and immediately over you are clusters of cypress-trees of an astonishing height, which seem to pierce the sky. Above you, from among the clouds, as it were, descends a waterfall of immense size, broken by the woody rocks into a thousand channels to the lake. On the other side is seen the blue extent of the lake and the mountains, speckled with sails and spires. The apartments of the Pliniana are immensely large, but ill furnished and antique. The terraces, which overlook the lake, and conduct under the shade of such immense laurel-trees as deserve the epithet of Pythian, are most delightful. (…)

Villa Pliniana

I take great delight in watching the changes of the atmosphere here, and the growth of the thunder showers with which the noon is often overshadowed, and which break and fade away towards evening into flocks of delicate clouds. Our fire-flies are fading away fast; but there is the planet Jupiter, who rises majestically over the rift in the forest-covered mountains to the south, and the pale Summer lightning which is spread out every night, at intervals, over the sky. No doubt Providence has contrived these things, that, when the fire-flies go out, the low-flying owl may see her way home.

Percy Bysshe Shelley, *A letter,* 1818

LADY MORGAN TO LADY CLARKE

Lake of Como, Villa Fontana, June 26, 1819

We had been offered the use of two beautiful villas on the Lake of Como, for nothing; one of them, the Villa Someriva [Villa Carlotta], one of the handsomest palaces in Lombardy. We left Milan ten days back, and have since lived in a state of enchantment, and I really believe in fairy land. I know not where to refer you for an account of the Lake of Como except to *Lady M. W. Montague's Letters.* The lake is fifty miles long, and the stupendous and magnificent mountains which embosom it, are strewn along their edges, with the fantastic villas of the nobility of Milan, to which, as there is no road, there is no approach but by water. We took boat at the pretty antique town of Como, and literally landed in the drawing-room of the Villa Tempi. The first things I perceived were the orange and lemon trees, laden with fruit, growing in groves in the open air; the American aloes, olive trees, vines, and mulberries, all in blossom or fruit, covering the mountains almost to their summits. The blossoms and orange flowers, with the profusion of roses and wild pinks, were almost too intoxicating for our vulgar senses.

The next day we set off on our aquatic excursions through regions the wildest, the loveliest, the most romantic that can be conceived. We landed at all the curious and classical points—at Pliny's fountain, the site of his villa, &c.,—and after a course of twenty-five miles, reached *my villa* of Someriva, which we found to be a splendid palace, all marble, surrounded by groves of orange trees, but so vast, so solitary, so imposing, and so remote from all medical aid, that I gave up the idea of occupying it, and we rowed off to visit other villas, and at last set up our boat at a pretty inn on the lake, where we sat up half the night watching the arrival of boats and listening to the choruses of the boatmen. The next day we returned, and after new voyages found a beautiful little villa on the lake, ten minutes row from Como, which we have taken for two months, at six pounds a month. The villa Fontana [Villa Volontè at borgo Vico, Como] consists of two pavilions, as they are called here, or small houses of two storeys, which are separated by a garden. In one reside the Signor and Signora, our hosts, with a charming family; in the other reside the Signor and Signora Morgan, with an Italian *valet de chambre.*

These pavilions are on the lake in a little pyramid; the vines and grapes festooned from tree to tree, and woven into a canopy above. The lake spreads before us with all its mountain beauties and windings. To the right lies the town of Como, with its gothic cathedral. Immediately behind us, on every side, rise the mountains which divide Italian Switzerland from Lombardy, covered with vines, olives and lime trees, and all this is lighted by a brilliant sun and canopied by skies bright, and blue, and cloudless. We have already made some excursions into these enchanting mountains, which are like cultivated gardens raised into the air; and walked within a mile of the Swiss frontier. We have a boat belonging to the villa anchored in the garden, into which we jump and row off. But of all the delights, imagine that shoals of foolish fish float on the surface of the lake in the evening, and that Morgan, who ambitioned nothing but a nibble on the Liffey line, here catches the victims of his art by dozens! Our villa consists of seven pretty rooms on the upper floor, and four below. The floors are stone, sprinkled with water two or three times a-day, the walls painted in fresco, green *jalousies* and muslin draperies, and yet with all these cooling precautions, the heat obliges us to sit still all day. There is only one circumstance that reconciles me to your not sharing our pleasures, and that is a small matter of thunder and lightning, which comes about two days out of three, and is sometimes a little too near and too loud for the nerves of some of my friends. At this present moment it shakes the house, and the rain is falling as if Cox of Kilkenny was coming again. If, by the time we return, I don't make "Les serpens d'envie sifler dans votre coeur" with my Spanish guitar, my name is not Oliver! Morgan is making great progress on the guitar. I think it would amuse you to witness the life we lead here. We rise early, and as our house is a perfect smother, we open the blinds (the sashes are never shut), and paradise bursts on us with a sun and sky that you never dreamt of in your philosophy. We breakfast under our arcade of vines, and the table covered with peaches and nectarines, while the fish literally pop their heads out of the lake to be fed, though Morgan, like a traitor, takes them by hundreds. Except you saw him in a yellow muslin gown and straw hat, on the lake of Como, you have no idea of human felicity! All day we are shut up in our respective little studies, in which the light scarcely penetrates, for the intolerable heat obliges every one to remain shut up during the middle of the day, and the houses and villages look as if they were uninhabited. At two o'clock we dine, at five, drink tea, and then we are off to the mountains, and frequenfly don't come back till night, or else we are on the lake; but in either instance we are in scenes which no pencil could delineate, nor pen describe. The mountains with their valleys and glens are covered with fig-trees, chestnuts, and olive-trees, and with the lovely vineyards which are formed into festoons and arcades, and have quite another appearance from the stunted vineyards of France. The other day, after dinner, we walked on till we came to some barriers, where we were stopped by douaniers. We asked where we were, and found it was Switzerland. So, having walked through a pretty Swiss village, and admired a sign, "William Tell", we walked back to Italy to tea.

Morgan Lady Sidney, *Memoirs,* 1819

Yet how could we miserable hail the approach of this delightful season? We hoped indeed that death did not now as heretofore walk in its shadow; yet, left as we were alone to each other, we looked in each other's faces with enquiring eyes, not daring altogether to trust to our presentiments, and endeavouring to divine which would be the hapless survivor to the other three. We were to pass the summer at the lake of Como, and thither we removed as soon as spring grew to her maturity, and the snow disappeared from the hill tops. Ten miles from Como, under the steep heights of the eastern mountains, by the margin of the lake, was a villa called the Pliniana, from its being built on the site of a fountain, whose periodical ebb and flow is described by the younger Pliny in his letters. The house had nearly fallen into ruin, till in the year 2090, an English nobleman had bought it, and fitted it up with every luxury. Two large halls, hung with splendid tapestry, and paved with marble, opened on each side of a court, of whose two other sides one overlooked the deep dark lake, and the other was bounded by a mountain, from whose stony side gushed, with roar and splash, the celebrated fountain. Above, underwood of myrtle and tufts of odorous plants crowned the rock, while the star-pointing giant cypresses reared themselves in the blue air, and the recesses of the hills were adorned with the luxuriant growth of chestnut-trees. Here we fixed our summer residence. We had a lovely skiff, in

which we sailed, now stemming the midmost waves, now coasting the over-hanging and craggy banks, thick sown with evergreens, which dipped their shining leaves in the waters, and were mirrored in many a little bay and creek of waters of translucent darkness. Here orange plants bloomed, here birds poured forth melodious hymns; and here, during spring, the cold snake emerged from the clefts, and basked on the sunny terraces of rock.

Were we not happy in this paradisiacal retreat? If some kind spirit had whispered forgetfulness to us, methinks we should have been happy here, where the precipitous mountains, nearly pathless, shut from our view the far fields of desolate earth, and with small exertion of the imagination, we might fancy that the cities were still resonant with popular hum, and the peasant still guided his plough through the furrow, and that we, the world's free denizens, enjoyed a voluntary exile, and not a remediless cutting off from our extinct species.

Mary Shelley, *The Last Man,* 1826

That branch of the lake of Como, which extends towards the south, is enclosed by two unbroken chains of mountains, which, as they advance and recede, diversify its shores with numerous bays and inlets. Suddenly the lake contracts itself, and takes the course and form of a river, between a promontory on the right, and a wide open shore on the opposite side. The bridge which there joins the two banks seems to render this transformation more sensible to the eye, and marks the point where the lake ends, and the Adda again begins—soon to resume the name of the lake, where the banks receding afresh, allow the water to extend and spread itself in new gulfs and bays. The open country, bordering the lake, formed of the alluvial deposits of three great torrents, reclines upon the roots of two contiguous mountains, one named San Martino, the other, in the Lombard dialect, Il Resegone, because of its many peaks seen in profile, which in truth resemble the teeth of a saw so much so, that no one at first sight, viewing it in front (as, for example, from the northern bastions of Milan), could fail to distinguish it by this simple description, from the other mountains of more obscure name and ordinary form in that long and vast chain. For a considerable distance the country rises with a gentle and continuous ascent; afterwards it is broken into hill and dale, terraces and elevated plains, formed by the intertwining of the roots of the two mountains, and the action of the waters. The shore itself, intersected by the torrents, consists for the most part of gravel and large flints; the rest of the plain, of fields and vineyards, interspersed with towns, villages, and hamlets: other parts are clothed with woods, extending far up the mountain. Lecco, the principal of these towns, giving its name to the territory, is at a short distance from the bridge, and so close upon the shore, that, when the waters are high, it seems to stand in the lake itself. A large town even now, it promises soon to become a city. (...)

From one to the other of these towns, from the heights to the lake, from one height to another, down through the little valleys which lay between, there ran many narrow lanes or mule-paths, (and they still exist,) one while abrupt and steep, another level, another pleasantly sloping, in most places enclosed by walls built of large flints, and clothed here and there with ancient ivy, which, eating with its roots into the cement, usurps its place, and binds together the wall it renders verdant. For some distance these lanes are hidden, and as it were buried between the walls, so that the passenger, looking upwards, can see nothing but the sky and the peaks of some neighbouring mountain; in other places they are terraced: sometimes they skirt the edge of a plain, or project from the face of a declivity, like a long staircase, upheld by walls which flank the hillsides like bastions, but in the pathway rise only the height of a parapet—and here the eye of the traveller can range over varied and most beautiful prospects. On one side he commands the azure surface of the lake, and the inverted image of the rural banks reflected in the placid wave; on the other, the Adda, scarcely escaped from the arches of the bridge, expands itself anew into a little lake, then is again contracted, and prolongs to the horizon its bright windings; upward,—the massive piles of the mountains, overhanging the head of the gazer; below,—the cultivated terrace, the champaign, the bridge; opposite,—the further bank of the lake, and, rising from it, the mountain boundary.

Alessandro Manzoni, *The Betrothed*, 1827

Colico, the port of the Valteline, on the lake of Como, will probably become, from the great line of communication which has been made with Germany through the Valteline, a place of much importance, particularly since the establishment of steam-boats on the lake of Como, which secures the navigation of the lake, from one extremity to the other, in four or five hours.

But a very interesting part of the new road is its intended continuation along the shores of the lake from Colico to Lecco, thus opening a carriage communication between Milan and the Valteline: already the greater part of this vast undertaking has been accomplished; and when the whole is completed, it will probably offer to the traveller the most beautiful route in Europe for its extent. The engineers have had great difficulties to contend with in removing the rocks, or cutting galleries through those which jut boldly into the lake, and rendering the road secure on the side towards the water. To the voyager on the lake, the scenes where the workmen are employed are very animated.

Galleria di Varenna • Varenna gallery

Just before the author arrived at Lecco, the sound of a drum on the mountain-side where the new road was constructing, excited his attention: the boatmen informed him that it was preparatory to the explosion of the mines used in blasting the rocks; in a few minutes some hundreds of these were discharged, and the magnificent reverberation of the reports from mountain to mountain and on the lake was most impressive.

Lecco is a pleasant little town, in a delightful situation, at the extremity of the eastern branch of the lake which bears the name of the lake of Lecco, though it is only a branch of the lake of Como. Numerous silk-factories and iron-works give it a commercial importance, which is heightened by its favourable situation in the line of the new road to the Valteline. The produce of its environs, the olive, the mulberry-tree, and the vine, are sources of manufacture and commerce.

The situation of Lecco is highly picturesque, opposite to the base of a high mountain which sinks abruptly to the lake. This mountain is seen not only from Milan, but from far beyond it on the road to Pavia. (…) That which leads to Como is an excellent carriage-road, entering the valley immediately below the high mountain which is opposite to Lecco. After a short passage through this valley, the prospect opens upon scenes of striking richness and beauty, which are little known to English travellers, and which continue throughout the journey to Como. The road passes by several beautiful lakes, particularly that of Pusiano, and at the bases of hills covered with chestnuts and vines, whilst olives, mulberry-trees, Indian corn, and other productions of a generous soil and climate, cover in profuse abundance this favoured country. Numerous villages, and the towns of Incino and Erba, inhabited by a fine race of people, are traversed by this road; and the inhabitants of this charming district appear to participate in its character of prosperity, enjoyment, and repose. The approach to Como presents one of the most beautiful views in which this city is an object: it is seen, far below the vineyards which skirt the road, deeply embosomed in the mountains; the Duomo, and part of the city of Como, are seen bordering upon the lake, which in this view is almost hidden by the surrounding hills. On the left is the monastery of San Salvatore, in a commanding situation; and above Como are its conical hills, surmounted by castellated ruins. Beyond the hills which surround the lake, the Alps are seen stretching across the horizon, and conspicuous among these is the beautiful form of Monte Rosa.

William Brockedon, *Passes of the Alps,* 1828

A LETTER TO MONSIEUR LOUIS DE RONCAUD

Bellagio, 20 September 1837

When you want to write the story of two happy lovers, choose the shores of Lake Como as your setting. I do not know any area more obviously blessed by Heaven, neither have I ever seen anywhere else where the enchantments of a life of love could seem more natural. The solemn and majestic alpine regions are, perhaps, too powerful for our small minds, their grandeur

oppresses man rather than elevates him. The permanence of the glaciers is too great a reminder of man's own impermanence.

Blevio

The immaculate purity of the eternal snows is a silent reproof to his dulled conscience and the granite masses suspended over his head, the gloomy green of the pine trees, the raw climate, terror of avalanches and the uninterrupted voice that thunders from the abysses are also austere symbols of a destiny that is fulfilled, ever threatened by the shadow of an irrevocable fate. Here, instead, under the azure sky in a soft, mild atmosphere, the heart expands and the senses open to all the joys of existence. Mountains accessible on every side call us to their verdant peaks, their slopes have been planted with rich vegetation; chestnut, mulberry and olive trees, maize and grapevines bring abundance. The sun's heat is tempered by the cool waters and voluptuous nights follow splendid days. Man can breathe freely in the midst of this benign nature, the harmony of his relationship with her is not upset by gigantic proportions. He can love, forget and enjoy, as universal happiness enfolds him. Yes my friend, if you see the shape of an ideal woman in your dreams, one whose beauty of heavenly origin is not a snare for the senses but rather a revelation for the soul, if a young man with a loyal and sincere heart appears beside her, imagine a moving love story between them and start with these words "On the shores of Lake Como".

Franz Liszt, *A letter,* 1837

The Italian lakes partake, in some measure, in the general features which have been mentioned as belonging to the valleys on the southern side of the Alps; but they are characterized also by some circumstances which are peculiar to themselves. Their banks are almost everywhere formed of steep mountains which sink at once into the lake without any meadows or level ground on the water side. These mountains are generally of great height and of the most rugged forms; but they are clothed to the summit with luxuriant woods, except in those places where the steepness of the precipices precludes the growth of vegetation. The continued appearance of front and precipice which they exhibit, would lead to the belief that the banks of the lake are uninhabited, were it not for the multitude of villages with which they are everywhere interspersed. These villages are so numerous and extensive, that it may be doubted whether the population anywhere in Europe is denser than on the shores of the Italian lakes. No spectacle in nature can be more beautiful than the aspect of these clusters of human habitations, all built of stone, and white-washed in the neatest manner, with a simple spire rising in the centre of each, to mark the number and devotion of the inhabitants, surrounded by luxuriant forests, and rising one above another to highest parts of the mountains. Frequently the village is concealed by the intervention of some rising ground, or the height adjoining woods; but the church is always visible, and conveys the liveliest idea of the peace and happiness of the inhabitants. These rural temples are uniformly white, and their spires are of the simplest form; but it is difficult to convey, to those who have not seen them, an idea of the exquisite addition which they form to the beauty of the scenery.

On a nearer approach, the situation of these villages, so profusely scattered over the mountains which surround the Italian lakes, is often interesting in the extreme. Placed on the summit of projecting rocks, or sheltered in the defile of secluded valleys, they exhibit every variety of aspect that can be imagined; but wherever situated, they add to the interest, or enhance the picturesque effect of the scene. The woods by which they are surrounded, and which, from a distance, have the appearance of a continued forest, are in reality formed, for the most part, of the walnuts and sweet chestnuts, which grow on the gardens that belong to the peasantry, and conceal beneath their shade, vineyards, corn-fields, and orchards. (…)

There is one delightful circumstance which occurs in spring in the vicinity of these lakes, to which a northern traveller is but little accustomed. During the months of April and May, the woods are filled with nightingales, and thousands of these little choristers pour forth their strains every night, with a richness and melody of which it is impossible to form a conception. In England we are accustomed frequently to hear the nightingale, and his song has been celebrated in poetry from the earliest periods of our history. But it is generally a single song to which we listen, or at most a few only, which unite to enliven the stillness of the night. But on the banks of the lake of Como, thousands of nightingales are to be found in every wood; they rest in every tree,—they pour forth their melody on the roof of every cottage. Wherever you walk during the delightful nights of April or May, you hear the unceasing strains of these unseen warblers, swelling on the evening gales, or dying away, as you recede from the woods or thickets where they dwell. The soft cadence and melodious swelling of this heavenly choir, resembles more the enchanting sounds of the Eolian harp than any thing produced by mortal organs. To those who have seen the lake of Como, with such accompaniments, during the serenity of a summer evening, and with the surrounding headlands and mountains reflected on its placid waters, there are few scenes in nature, and few moments in life, which can be the source of such delightful recollection.

Archibald Alison, *Miscellaneous Essays*, 1860

From Milan I turned my face to the north, and in a few hours I was once more gliding along the magic shores of Como, which were even more beautiful than when I had seen them before. Then I was discovering, but now I could give myself up to admiration and delight. My first resting-place was Varenna, a small village opposite Cadenabbia. The inn at this place is one of the most agreeable in Italy. The situation is fine; and its pretty garden, terraced to the water's edge, crowded with orange and lemon-trees and solemnized with here and there a monkish looking cypress, might have sat for a picture in a landscape annual. But who could have painted the sunset I saw from it, the burnished gold of the lake, the purple mountains which slowly faded away into the gray of evening? I watched these changing colors and the glorious scenery over which they passed, as one looks upon a friendly face which he expects to see no more on earth.

Varenna

The next morning my course was along the shore of the lake, on the great road which is carried over the Stelvio, and through the wonderful galleries which are cut through the solid rock for a mile in extent.

George Stillman Hillard, *Six monts in Italy,* 1860

Our desire for water became insufferable; we paid our modest bills, and at six o'clock we took the train for Como, where we arrived about the hour when Don Abbondio, walking down the lonely path with his book of devotions in his hand, gave himself to the Devil on meeting the bravos of Don Rodrigo. I counsel the reader to turn to *I Promessi Sposi* [*The Betrothed*], if he would know how all the lovely Como country looks at that hour. For me, the ride through the evening landscape, and the faint sentiment of pensiveness provoked by the smell of the ripening maize, which exhales the same sweetness on the way to Como that it does on any Ohio bottomland, have given me an appetite, and I am to dine before wooing the descriptive Muse.

After dinner, we find at the door of the hotel an English architect whom we know, and we take a boat together for a moonlight row upon the lake, and voyage far up the placid water through air that bathes our heated senses like dew. How far we have left Milan behind! On the lake lies the moon, but the hills are held by mysterious shadows, which for the time are

as substantial to us as the hills themselves. Hints of habitation appear in the twinkling lights along the water's edge, and we suspect an alabaster lamp in every casement, and in every invisible house a villa such as Claude Melnotte described to Pauline,—and some one mouths that well-worn fustian. The rags of sentimentality flutter from every crag and olive-tree and orange-tree in all Italy—like the wilted paper collars which vulgar tourists leave by our own mountains and streams, to commemorate their enjoyment of the landscape.

The town of Como lies, a swarm of lights, behind us; the hills and shadows gloom around; the lake is a sheet of tremulous silver. There is no telling how we get back to our hotel, or with what satisfied hearts we fall asleep in our room there. The steamer starts for the head of the lake at eight o'clock in the morning, and we go on board at that hour.

There is some pretense of shelter in the awning stretched over the after part of the boat; but we do not feel the need of it in the fresh morning air, and we get as near the bow as possible, that we may be the very first to enjoy the famous beauty of the scenes opening before us. A few sails dot the water, and everywhere there are small, canopied row-boats, such as we went pleasuring in last night. We reach a bend in the lake, and all the roofs and towers of the city of Como pass from view, as if they had been so much architecture painted on a scene and shifted out of sight at a theatre. But other roofs and towers constantly succeed them, not less lovely and picturesque than they, with every curve of the many-curving lake. We advance over charming expanses of water lying between lofty hills; and as the lake is narrow, the voyage is like that of a winding river,—like that of the Ohio, but for the primeval wildness of the acclivities that guard our Western stream, and the tawniness of its current. Wherever the hills do not descend sheer into Como, a pretty town nestles on the brink, or, if not a town, then a villa, or else a cottage, if there is room for nothing more. Many little towns climb the heights half-way, and where the hills are green and cultivated in vines or olives, peasants' houses scale them to the crest. They grow loftier and loftier as we leave our starting-place farther behind, and as we draw near Colico they wear light wreaths of cloud and snow. So cool a breeze has drawn down between them all the way that we fancy it to have come from them till we stop at Colico, and find that, but for the efforts of our honest engine, sweating and toiling in the dark below, we should have had no current of air.

William Dean Howells, *Italian Journeys*, 1867

We passed through a range of wild, picturesque hills, steep, wooded, cone-shaped, with rugged crags projecting here and there, and with dwellings and ruinous castles perched away up toward the drifting clouds. We lunched at the curious old town of Como, at the foot of the lake, and then took the small steamer and had an afternoon's pleasure excursion to this place,—Bellagio. (…)

Our hotel sits at the water's edge—at least its front garden does—and we walk among the shrubbery and smoke at twilight; we look afar off at Switzerland and the Alps, and feel an indolent willingness to look no closer; we go down the steps and swim in the lake; we take a shapely little boat and sail abroad among the reflections of the stars; lie on the thwarts and listen to the distant laughter, the singing, the soft melody of flutes and guitars that comes floating across the water from pleasuring gondolas; we close the evening with exasperating billiards on one of those same old execrable tables. A midnight luncheon in our ample bed-chamber; a final smoke in its contracted veranda facing the water, the gardens, and the mountains; a summing up of the day's events. Then to bed, with drowsy brains harassed with a mad panorama that mixes up pictures of France, of Italy, of the ship, of the ocean, of home, in grotesque and bewildering disorder. Then a melting away of familiar faces, of cities and of tossing waves, into a great calm of forgetfulness and peace.

After which, the nightmare.

Breakfast in the morning, and then the lake.

I did not like it yesterday. I thought Lake Tahoe was "much" finer. I have to confess now, however, that my judgment erred somewhat, though not extravagantly. I always had an idea that Como was a vast basin of water, like Tahoe, shut in by great mountains. Well, the border of huge mountains is here, but the lake itself is not a basin. It is as crooked as any brook, and only from one-quarter to two-thirds as wide as the Mississippi. There is not a yard of low ground on either side of it—nothing but endless chains of mountains that spring abruptly from the water's edge, and tower to altitudes varying from a thousand to two thousand feet. Their craggy sides are clothed with vegetation, and white specks of houses peep out from the luxuriant foliage everywhere; they are even perched upon jutting and picturesque pinnacles a thousand feet above your head.

Again, for miles along the shores, handsome country-seats surrounded by gardens and groves, sit fairly in the water, sometimes in nooks carved by Nature out of the vine-hung precipices, and with no ingress or egress save by boats. Some have great broad stone staircases leading down to the water, with heavy stone balustrades ornamented with statuary and fancifully adorned with creeping vines and bright-colored flowers—for all the world like a drop-curtain in a theater, and lacking nothing but long-waisted, high-heeled women and plumed gallants in silken tights coming down to go serenading in the splendid gondola in waiting.

A great feature of Como's attractiveness is the multitude of pretty houses and gardens that cluster upon its shores and on its mountainsides. They look so snug and so homelike, and at eventide when everything seems to slumber, and the music of the vesper-bells comes stealing over the water, one almost believes that nowhere else than on the Lake of Como can there be found such a paradise of tranquil repose.

From my window here in Bellagio, I have a view of the other side of the lake now, which is as beautiful as a picture. A scarred and wrinkled precipice rises to a height of eighteen hundred feet; on a tiny bench half-way up its vast wall, sits a little snowflake of a church, no bigger than a martin-box, apparently; skirting the base of the cliff are a hundred orange groves and gardens, flecked with glimpses of the white dwellings that are buried in them; in front, three or four gondolas lie idle upon the water—and in the burnished mirror of the lake, mountain, chapel, houses, groves, and boats are counterfeited so brightly and so clearly that one scarce knows where the reality leaves off and the reflection begins!

The surroundings of this picture are fine. A mile away, a grove-plumed promontory juts far into the lake and glasses its palace in the blue depths; in midstream a boat is cutting the shining surface and leaving a long track behind, like a ray of light; the mountains beyond are veiled in a dreamy purple haze; far in the opposite direction a tumbled mass of domes and verdant slopes and valleys bars the lake, and here, indeed, does distance lend enchantment to the view—for on this broad canvas, sun and clouds and the richest of atmospheres have blended a thousand tints together, and over its surface the filmy lights and shadows drift, hour after hour, and glorify it with a beauty that seems reflected out of Heaven itself. Beyond all question, this is the most voluptuous scene we have yet looked upon.

Last night the scenery was striking and picturesque. On the other side crags and trees and snowy houses were reflected in the lake with a wonderful distinctness, and streams of light from many a distant window shot far abroad over the still waters. On this side, near at hand, great mansions, white with moonlight, glared out from the midst of masses of foliage that lay black and shapeless in the shadows that fell from the cliff above—and down in the margin of the lake every feature of the weird vision was faithfully repeated.

Mark Twain, *The Innocents Abroad*, 1869

No sound of wheels or hoof beat breaks
 The silence of the summer day,
  As by the loveliest of all lakes
  I while the idle hours away

I pace the leafy colonnade,
 Where level branches of the plane
 Above me wrave a roof of shade
 Impervious to the sun or rain.

At limes a sudden rush of air
 Flutters, the lazy leaves o' erhead
 And gleams of sunshine toss and flare
 Like torches down the path I tread.

By Somariva's garden gate
 I make the marble stairs my seat,
 And hear the water as I wait
 Lapping the steps beneath my feet.

The undulation sinks and swells
 Along the stony parapets,
 And far away the floating bells
 Tinkle upon the fishers' nets.

Silent and slow by tower and town
 The freighted barges come and go,
 Their pendent shardows gliding down
By town and tower submerged below.

The hills sweep upward from the shore
 With Villas scattered one by one,
 Upon their wooded spurs, and lower
 Bellagio blazing in the sun.

And dimly seen a taugled mass
 Of walls and woods of light and shade,
 Stands beckoning up the Stelvio Pass
 Varenna with its white cascade.

I ask myself is this a dream?
 Will it all vanish into air?
 Is there a land of such supreme
 And perfect beauty anywhere?

Sweet vision! Do not fade away;
 Linger until my heart shall take
 Into itself the summer day,
 And all the beauty of the lake.

Linger until upon my brain
 Is stamped an image of the scene;
 The fade into the air again,
 And be as if thou hadst not been.

Henry Wadsworth Longfellow, *Cadenabbia*, 1872

Of a truth, to decide which is the queen of the Italian lakes, is but an infinita quæstio; and the mere raising of it is folly. Still each lover of the beautiful may give his vote; and mine, like that of shepherd Paris, is already given to the Larian goddess. Words fail in attempting to set forth charms which have to be enjoyed, or can at best but lightly be touched with most consummate tact, even as great poets have already touched on Como Lake—from Virgil with his "Lari maxume," to Tennyson and the Italian Manzoni. The threshold of the shrine is, however, less consecrated ground; and the Cathedral of Como may form a vestibule to the temple where silence is more golden than the speech of a describer.

The Cathedral of Como is perhaps the most perfect building in Italy for illustrating the fusion of Gothic and Renaissance styles, both of a good type and exquisite in their sobriety. The Gothic ends with the nave. The noble transepts and the choir, each terminating in a rounded tribune of the same dimensions, are carried out in a simple and decorous Bramantesque manner. The transition from the one style to the other is managed so felicitously, and the sympathies between them are so well developed, that there is no discord. What we here call Gothic, is conceived in a truly southern spirit, without fantastic efflorescence or imaginative complexity of multiplied parts; while the Renaissance manner, as applied by Tommaso Rodari, has not yet stiffened into the lifeless neo-Latinism of the later cinquecento: it is still distinguished by delicate inventiveness, and beautiful subordination of decorative detail to architectural effect. Under these happy conditions we feel that the Gothic of the nave, with its superior severity and sombreness, dilates into the lucid harmonies of choir and transepts like a flower unfolding. In the one the mind is tuned to inner meditation and religious awe; in the other the worshipper passes into a temple of the clear explicit faith—as an initiated neophyte might be received into the meaning of the mysteries. (…)

Como

The building-fund for the Duomo was raised in Como and its districts. Boxes were placed in all the churches to receive the alms of those who wished to aid the work. The clergy begged in Lent, and preached the duty of contributing on special days. Presents of lime and bricks and other materials were thankfully received. Bishops, canons, and municipal magistrates were expected to make costly gifts on taking office. Notaries, under penalty of paying 100 soldi if they neglected their engagement, were obliged to persuade testators, *cum bonis modis dulciter*, to inscribe the Duomo on their wills. Fines for various offences were voted to the building by the city. Each new burgher paid a certain sum; while guilds and farmers of the taxes bought monopolies and privileges at the price of yearly subsidies. A lottery was finally established for the benefit of the fabric. Of course each payment to the good work carried with it spiritual privileges; and so willingly did the people respond to the call of the Church, that during the sixteenth century the sums subscribed amounted to 200,000 golden crowns. Among the most munificent donators are mentioned the Marchese Giacomo Gallio, who bequeathed 290,000 lire, and a Benzi, who gave 10,000 ducats.

John Addington Symonds, *Sketches in Italy and Greece*, 1874

With the natural gloominess of three o'clock in the morning, we strapped up our humble bags in the marble halls of the Hotel Vittoria at Menaggio under the indignant and contemptuous survey of an awakened porter.

When we issued into the night the luminous Italian stars flamed out of a perfect vault, blotted only at the edges by the dim shapes of the mountains. The keen northern breeze which intruded on the languid scent-laden air of the lake was the best promise of a day of unclouded sunshine. Yet this breeze was the cause of all our fears; under its influence the lake was stirred into waves which broke noisily against the terraced shore. Our goal was the Grigna, and between us and Varenna lay three miles of dancing water. There was no steamer for hours; and it is no rare thing for the passage to be impossible for small boats. Doubtful and depressed, we hurried round to the little port.

It was a happy moment when a cry answered our shouts, and the boat, ordered overnight, shot up with its four rowers through the darkness. We were soon on board, and out of sight of François, left to search for a missing portmanteau in the custom-house of Como.

The shelter of the land was soon left, and our broad-bottomed boat, keeping her head to the wind, as if making for Colico, began to do battle with the waves, which knocked her from side to side like an unwieldy cork. We were anxious as to the behaviour of our rowers. The boatmen of the lake are not all to be trusted. The year before I had seen a Colico crew give way to the most abject terror at the mere approach of a storm-cloud which turned out to be quite empty of wind. For ten minutes before the rain burst on us they did nothing but alternately catch crabs, and curse and kick the crab-catcher. The Menaggio men showed themselves, however, of very different metal. They rowed hard and talked little, and the stern-oar, standing up to his work like the rest, gondolier-fashion, steered with so much skill in avoiding the wave-crests that, knocked about as we were, we only shipped one sea during the passage.

The mountain-forms were growing less ghostly, and the first pale gleams across the sky were reflected still more faintly on the surface of the lake as we ran ashore on the beach at Varenna. The little town was still asleep under its cypresses, but a light gleamed from the windows of a waterside inn, which soon furnished us with coffee and an omelette.

A few hundred yards north of Varenna the glen of Esino, through which lies the way to the Grigna, opens on the lake. The "Alpine Guide" describes a path leading past the castle and along the (true) left bank of the stream. But the more frequented track, a steep pavé between vineyards and villages, starts from the bridge of the Stelvio road and mounts the further hillside.

In the old visitors' book at the Montenvers Inn was to be read a characteristic entry, "found the path up, like that to heaven, steep and stony." Mr. Spurgeon would find Esino much more difficult to get to that heaven. The path is laid with large smooth rounded stones, placed at such a high angle as to render back-sliding inevitable. Fortunately there was abundant consolation in the exquisite glimpses which met us at every corner, and boots and tempers held out pretty well, until both were rewarded by a smooth terrace-path circling round the hollows of the upper hills.

Where the deep ravine rose towards us, and two steeply-falling brooks united to form its torrent, the church of Esino stood forth, the ornament of a bold green spur projecting from a broad platform covered with fields and trees.

Half the village lies a few hundred yards higher on the hillside, and the only inn—a mere peasant's house of call—is the first house in the upper hamlet. The blacksmith appeared to be the official guide to the Grigna, but in his absence a substitute was provided in the master of the inn. His first act was to pack an enormous basket of bread and wine, of which he said we might consume as much as we liked and pay him accordingly, a primitive but not,

as we afterwards found, particularly economical arrangement. His next proceeding was to offer a few coppers to a girl to carry the basket to the last shepherd's hut. In the Bergamasque country we soon became accustomed to our porters acting as contractors and subletting a portion of their contract to any chance passenger or herdsman they met on the way.

A charming path leads up from Esino to the Cainallo Pass, the direct way into Val Sassina. Large beeches grow in clusters amongst tufts of underwood, or overshadow shallow ponds, the frequent haunts of the herd. Below lies the long ribbon of the lake, its waves reduced to a ripple, which the sloping sunlight hardly makes visible. Away beyond the green gulf leading to Porlezza and the hills of Maggiore glows the supreme glory of the Alps, the snow-front of Monte Rosa. Right and left the faint and far forms of the Grand Paradis and Grivola and the Oberland peaks attend in the train of their queen.

Instead of crossing the pass the route to the Grigna turns southward along the ridge until some 500 feet higher it reaches the edge of a great horseshoe-shaped recess in the north-east flank of the mountain. The limestone here breaks below into many fantastic spires, the precipices opposite are abrupt, and the whole landscape has a severe and bold character unexpected in this region.

The circuit to the opposite side of the recess where the real climb begins is somewhat tedious. Beyond a cattle-alp, which affords milk, the mountain becomes a bare mass of limestone, the hollows in which are filled, first by grass, then by snow. The top lies still far back, and the ridge on the right which cuts off most of the view looks tempting. It is not comfortable ground, however, except for a tolerable cragsman. Keep below to the last, and when you clamber on to the highest crest your patience will be rewarded.

A moment before a rock was before your eyes, now there is nothing but the straight-drawn line of the Tuscan Apennine. The vast plain of Lombardy has, for the first time all day, burst into sight. Surely there are few sights which appeal at once to the senses and imagination with so much power. Possibly the Indian plains from some Himalayan spur may have richer colours, certainly the northern steppe from Elbruz has greater boundlessness. But they are not so much mixed up with associations. This is Italy; there are Milan, Monza, Bergamo, a hundred battle-fields from the Trebbia to Magenta.

It is natural to compare the Grigna panorama with those from

Monte Generoso and Monte San Primo. As a perfect view of the Lake of Como the Monte San Primo is unrivalled. The delicious dip from Monte Generoso on to Lugano perhaps surpasses in beauty the wilder plunge of the Grigna upon the Lago di Lecco. But for the plain and the great range I unhesitatingly give the palm to the higher mountain [the Grigna].

The last spurs of the Alps are here singularly picturesque. The bold forms of the Corno di Canzo and Monte Baro break down to display the shining pools of the Laghi di Pusiano and d'Annone, and the hills and towns of the Brianza, a fair garden country full of well-to-do towns and bright villas, the country seats of the Milanese. Hither Leonardo may have come, and looking across the narrow lake or from beside some smaller pool or stream at the stiff upright rocks of the Grigna and the Resegone, have conceived the strange backgrounds with which we are all familiar. (…)

In most Alpine districts the Grigna (7,909 feet) would rank among minor heights; on the shores of Lago di Como and at the edge of the Lombard plain it is a giant. Its extra 2,000 feet enable it to look not only over neighbouring hills but into the hollows which separate them—hollows filled with an air like a melted jewel in its mingled depth and transparency of colour. The snowy Alps, raised now, not merely head, but head and shoulders above the crowd, range themselves before the eyes in well-ordered companies. (…)

Perfect peace and radiance filled the heaven. The morning breeze had died away, no cloud had lifted itself from the valleys; all was calm and sunny, from the lake at our feet to the pale shadowy cone scarcely defined on the glowing horizon, which was Monte Viso. For hours we lay wrapt in the divine air, now watching Monte Rosa as it changed from a golden light to a shadow, now gazing over the plain as the slant sunbeams falling on white walls and towers gave detail and reality to the dreamlike vision of noon.

The two peaks of the Great and Little Grigna or Campione are cut off from the surrounding ranges by a deep semicircular trough extending from Lecco to Bellano. Near the centre of the bow stand Introbbio on the Bellano side of a low watershed. The easiest way down the back of the Grigna seems to be follow its nord-east ridge, and then descend a steepy grassy hillside to some homesteads grouped about a pond.

The lower slopes are a charming surprise to eyes accustomed to the severer scenery of a Swiss alp. They share the beauties of the pasturages of Bern and add to them something of a softer grace.

Douglas W. Freshfield, *Italian Alps,* 1875

They spent a couple of days on the Lake of Como, at a hotel with white porticoes smothered in oleander and myrtle, and the terrace-steps leading down to little boats with striped awnings. They agreed it was the earthly paradise, and they passed the mornings strolling through the perfumed alleys of classic villas, and the evenings floating in the moonlight in a circle of outlined mountains, to the music of silver-trickling oars. One day, in the afternoon, the two young men took a long stroll together. They followed the winding footway that led toward Como, close to the lake-side, past the gates of villas and the walls of vineyards, through little hamlets propped on a dozen arches, and bathing their feet and their pendant tatters in the gray-green ripple; past frescoed walls and crumbling campaniles and grassy village piazzas, and the mouth of soft ravines that wound upward, through belts of swinging vine and vaporous olive and splendid chestnut, to high ledges where white chapels gleamed amid the

Nesso

paler boskage, and bare cliff-surfaces, with their sun-cracked lips, drank in the azure light. It all was confoundingly picturesque; it was the Italy that we know from the steel engravings in old keepsakes and annuals, from the vignettes on music-sheets and the drop-curtains at theatres; an Italy that we can never confess to ourselves—in spite of our own changes and of Italy's—that we have ceased to believe in. Rowland and Roderick turned aside from the little paved footway that clambered and dipped and wound and doubled beside the lake, and stretched themselves idly beneath a fig-tree, on a grassy promontory. Rowland had never known anything so divinely soothing as the dreamy softness of that early autumn afternoon. The iridescent mountains shut him in; the little waves, beneath him, fretted the white pebbles at the laziest intervals; the festooned vines above him swayed just visibly in the all but motionless air.

Roderick lay observing it all with his arms thrown back and his hands under his head. "This suits me," he said; "I could be happy here and forget everything. Why not stay here forever?"

Henry James, *Roderick Hudson,* 1875

Villa d'Este

T he only old garden on Como which keeps more than a fragment of its original architecture is that of the Villa d'Este at Cernobbio, a mile or two from the town of Como, at the southern end of the lake. The villa, built in 1527 by Cardinal Gallio (who was born a fisher-lad of Cernobbio), has passed through numerous transformations. In 1816 it was bought by Caroline of Brunswick, who gave it the name of Este, and turned it into a great structure of the Empire style. Here for several years the Princess of Wales held the fantastic court of which Bergami, the courier, was High Chamberlain if not Prince Consort; and, whatever disadvantages may have accrued to herself from this establishment, her residence at the Villa d'Este was a benefit to the village, for she built the road connecting Cernobbio with Moltrasio, which was the first carriage-drive along the lake, and spent large sums on improvements in the neighbourhood of her estate.

Since then the villa has suffered a farther change into a large and fashionable hotel; but though Queen Caroline anglicized a part of the grounds, the main lines of the old Renaissance garden still exist.

Behind the Villa d'Este the mountains are sufficiently withdrawn to leave a gentle acclivity, which was once laid out in a series of elaborate gardens. Adjoining the villa is a piece of level ground just above the lake, which evidently formed the "secret garden" with its parterres and fountains. This has been replaced by a lawn and flower-beds, but still keeps its boundary-wall at the back, with a baroque grotto and fountain of pebbles and shell-work. Above this rises a *tapis vert* shaded by cypresses, and leading to the usual Hercules in a temple. The peculiar feature of this ascent is that it is bordered on each side with narrow steps of channelled stone, down which the water rushes under overlapping ferns and roses to the fish-pool below the grotto in the lower garden. Beyond the formal gardens is the *bosco*, a bit of fine natural woodland climbing the cliff-side, with winding paths which lead to various summer-houses and sylvan temples. The rich leafage of walnut, acacia and cypress, the glimpses of the blue lake far below, the rush of a mountain torrent through a deep glen spanned by a romantic ivy-clad bridge, make this *bosco* of the Villa d'Este one of the most enchanting bits of sylvan gardening in Italy. Scarcely less enchanting is the grove of old plane-trees by the water-gate on the lake, where, in a solemn twilight of over-roofing branches, woodland gods keep watch above the broad marble steps descending to the water. In the gardens of the Villa d'Este there is much of the Roman spirit—the breadth of design, the unforced inclusion of natural features, and that sensitiveness to the quality of the surrounding landscape which characterizes the great gardens of the Campagna.

Edith Wharton, *Italian Villas and Their Gardens,* 1904

I made, however, an excursion to the Lake of Como, which, though brief, lasted long enough to suggest to me that I too was a hero of romance with leisure for a love-affair, and not a hurrying tourist with a Bradshaw in his pocket. The Lake of Como has figured largely in novels of "immoral" tendency—being commonly the spot to which inflamed young gentlemen invite the wives of other gentlemen to fly with them and ignore the restrictions of public opinion. But even the Lake of Como has been revised and improved; the fondest prejudices yield to time; it gives one somehow a sense of an aspiringly high tone. I should pay a poor compliment at least to the swarming inmates of the hotels which now alternate attractively by the water-side with villas old and new were I to read the appearances more cynically. But if it is lost to florid fiction it still presents its blue bosom to most other refined uses, and the unsophisticated tourist, the American at least, may do any amount of private romancing there. The pretty hotel at Cadenabbia offers him, for instance, in the most elegant and assured form, the so often precarious adventure of what he calls at home summer board. It is all so unreal, so fictitious, so elegant and idle, so framed to undermine a rigid sense of the chief end of man not being to float for ever in an ornamental boat, beneath an awning tasselled like a circus-horse, impelled by an affable Giovanni or Antonio from one stately stretch of lake-laved villa steps to another, that departure seems as harsh and unnatural as the dream-dispelling note of some punctual voice at your bedside on a dusky winter morning. Yet I wondered, for my own part, where I had seen it all before—the pink-walled villas gleaming through their shrubberies of orange and oleander, the mountains shimmering in the hazy light like so many breasts of doves, the constant presence of the melodious Italian voice. Where indeed but at the Opera when the manager has been more than usually regardless of expense? Here in the foreground was the palace of the nefarious barytone, with its banqueting-hall opening as freely on the stage as a railway buffet on the platform; beyond, the delightful back scene, with its operatic gamut of colouring; in the middle the scarlet-sashed "barcaiuoli", grouped like a chorus, hat in hand, awaiting the conductor's signal. It was better even than being in a novel—this being, this fairly wallowing, in a libretto.

Henry James, *Italian Hours,* 1909

As the golden summer changed into the deep golden autumn he went to the Lake of Como. There he found the loveliness of a dream. He spent his days upon the crystal blueness of the lake or he walked back into the soft thick verdure of the hills and tramped until he was tired so that he might sleep. But by this time he had begun to sleep better, he knew, and his dreams had ceased to be a terror to him.

"Perhaps," he thought, "my body is growing stronger."

It was growing stronger but—because of the rare peaceful hours when his thoughts were changed—his soul was slowly growing stronger, too. He began to think of Misselthwaite and wonder if he should not go home. Now and then he wondered vaguely about his boy and asked himself what he should feel when he went and stood by the carved four-posted bed again and looked down at the sharply chiseled ivory-white face while it slept and, the black lashes rimmed so startlingly the close-shut eyes. He shrank from it.

One marvel of a day he had walked so far that when he returned the moon was high and full and all the world was purple shadow and silver. The stillness of lake and shore and wood was so wonderful that he did not go into the villa he lived in. He walked down to a little bowered terrace at the water's edge and sat upon a seat and breathed in all the heavenly scents of the night.

He felt the strange calmness stealing over him and it grew deeper and deeper until he fell asleep.

He did not know when he fell asleep and when he began to dream; his dream was so real that he did not feel as if he were dreaming. He remembered afterward how intensely wide awake and alert he had thought he was. He thought that as he sat and breathed in the scent of the late roses and listened to the lapping of the water at his feet he heard a voice calling. It was sweet and clear and happy and far away…

Frances Hodgson Burnett, *The Secret Garden,* 1911

I had already heard nightingales in abundance near Lake Como…

Theodore Roosevelt, *An Autobiography,* 1913

Colophon

Si ringrazia:
FAI Fondo Ambiente Italiano
Ente Villa Carlotta
Grand Hotel Villa d'Este
Per le vecchie cartoline il Sig. Enzo Puricelli

Traduzioni in inglese: Eurolanguages Sas
Traduzioni in italiano dei brani letterari: © Copyright 2006 Giorgio Carradori
Grafica e impaginazione: Alessandro Perathoner
Foto © Copyright 2006 Alessandro Perathoner
tranne: pag.33 (missoltini), pag.41 (Festa S. Giovanni) e
pag.62 (Amore e Psiche) © Provincia di Como-Assessorato al Turismo
Intera opera © Copyright 2006 Nous Srl
Tutti i diritti riservati - All rights reserved

Finito di stampare nel luglio 2006 da:
Cattaneo Paolo Grafiche srl - Oggiono (LC)

NOUS
via Esterna del Molino, 18
I-24040 Stezzano (BG) - Italy
Tel: +39 035 591159 - Fax: +39 035 347263
www.nous-srl.it   email: info@nous-srl.it